故宮

博物院藏文物珍品全集

故宮博物院藏文物珍品全集

清宮西洋儀器

儀器

主編：劉潞

商務印書館

清宮西洋儀器
Scientific and Technical Instruments of the Qing Dynasty

故宮博物院藏文物珍品全集
The Complete Collection of Treasures of the Palace Museum

主　　編 ·················· 劉　潞

編　　委 ·················· 劉寶健、毛憲民、王　蕙、郭福祥、
　　　　　　　　　　　　　關雪玲、惲麗梅、梅　雪、陸成蘭

攝　　影 ·················· 劉志崗、胡　錘、趙　山

出 版 人 ·················· 陳萬雄

編輯顧問 ·················· 吳　空

責任編輯 ·················· 蘇　榮　張貞潔

設　　計 ·················· 三易設計有限公司

出　　版 ·················· 商務印書館（香港）有限公司
　　　　　　　　　　　　　香港筲箕灣耀興道3號東滙廣場8樓

製　　版 ·················· 奇峰分色製版有限公司
　　　　　　　　　　　　　香港鰂魚涌華蘭路16號萬邦工業大廈21樓A座

印　　刷 ·················· 中華商務彩色印刷有限公司
　　　　　　　　　　　　　香港新界大埔汀麗路36號中華商務印刷大廈

版　　次 ·················· 1998年10月第1版第1次印刷
　　　　　　　　　　　　　©1998 商務印書館（香港）有限公司
　　　　　　　　　　　　　ISBN 962 07 5229 5

All inquiries should be directed to:
The Commerical Press (Hong Kong) Ltd.
8/F., Eastern Central Plaza, 3 Yiu Hing Road, Shau Kei Wan, Hong Kong.

總序

楊新

故宮博物院是在明、清兩代皇宮的基礎上建立起來的國家博物館，位於北京市中心，佔地72萬平方米，收藏文物近百萬件。

公元1406年，明代永樂皇帝朱棣下詔將北平升為北京，翌年即在元代舊宮的基址上，開始大規模營造新的宮殿。公元1420年宮殿落成，稱紫禁城，正式遷都北京。公元1644年，清王朝取代明帝國統治，仍建都北京，居住在紫禁城內。按古老的禮制，紫禁城內分前朝、後寢兩大部分。前朝包括太和、中和、保和三大殿，輔以文華、武英兩殿。後寢包括乾清、交泰、坤寧三宮及東、西六宮等，總稱內廷。明、清兩代，從永樂皇帝朱棣至末代皇帝溥儀，共有24位皇帝及其后妃都居住在這裏。1911年孫中山領導的"辛亥革命"，推翻了清王朝統治，結束了兩千餘年的封建帝制。1914年，北洋政府將瀋陽故宮和承德避暑山莊的部分文物移來，在紫禁城內前朝部分成立古物陳列所。1924年，溥儀被逐出內廷，紫禁城後半部分於1925年建成故宮博物院。

歷代以來，皇帝們都自稱為"天子"。"普天之下，莫非王土；率土之濱，莫非王臣"（《詩經‧小雅‧北山》），他們把全國的土地和人民視作自己的財產。因此在宮廷內，不但匯集了從全國各地進貢來的各種歷史文化藝術精品和奇珍異寶，而且也集中了全國最優秀的藝術家和匠師，創造新的文化藝術品。中間雖屢經改朝換代，宮廷中的收藏損失無法估計，但是，由於中國的國土遼闊，歷史悠久，人民富於創造，文物散而復聚。清代繼承明代宮廷遺產，到乾隆時期，宮廷中收藏之富，超過了以往任何時代。到清代末年，英法聯軍、八國聯軍兩度侵入北京，橫燒劫掠，文物損失散佚殆不少。溥儀居內廷時，以賞賜、送禮等名義將文物盜出宮外，手下人亦效其尤，至1923年中正殿大火，清宮文物再次遭到嚴重損失。儘管如此，清宮的收藏仍然可觀。在故宮博物院籌備建立時，由"辦理清室善後委員會"對其所藏進行了清點，事竣後整理刊印出《故宮物品點查報告》共六編28冊，計有文物117萬餘件（套）。1947年底，古物陳列所併入故宮博物院，其文物同時亦歸故宮博物院收藏管理。

二次大戰期間，為了保護故宮文物不至遭到日本侵略者的掠奪和戰火的毀滅，故宮博物院從大量的藏品中檢選出器物、書畫、圖書、檔案共計13427箱又64包，分五批運至上海和南京，後又輾轉流散到川、黔各地。抗日戰爭勝利以後，文物復又運回南京。隨着國內政治形勢的變化，在南京的文物又有2972箱於1948年底至1949年被運往台灣，50年代南京文物大部分運返北京，尚有2211箱至今仍存放在故宮博物院於南京建造的庫房中。

中華人民共和國成立以後，故宮博物院的體制有所變化，根據當時上級的有關指令，原宮廷中收藏圖書中的一部分，被調撥到北京圖書館，而檔案文獻，則另成立了“中國第一歷史檔案館”負責收藏保管。

50至60年代，故宮博物院對北京本院的文物重新進行了清理核對，按新的觀念，把過去劃分“器物”和書畫類的才被編入文物的範疇，凡屬於清宮舊藏的，均給予“故”字編號，計有711338件，其中從過去未被登記的“物品”堆中發現1200餘件。作為國家最大博物館，故宮博物院肩負有蒐藏保護流散在社會上珍貴文物的責任。1949年以後，通過收購、調撥、交換和接受捐贈等渠道以豐富館藏。凡屬新入藏的，均給予“新”字編號，截至1994年底，計有222920件。

這近百萬件文物，蘊藏着中華民族文化藝術極其豐富的史料。其遠自原始社會、商、周、秦、漢，經魏、晉、南北朝、隋、唐，歷五代兩宋、元、明，而至於清代和近世。歷朝歷代，均有佳品，從未有間斷。其文物品類，一應俱有，有青銅、玉器、陶瓷、碑刻造像、法書名畫、印璽、漆器、琺瑯、絲織刺繡、竹木牙骨雕刻、金銀器皿、文房珍玩、鐘表、珠翠首飾、家具以及其他歷史文物等等。每一品種，又自成歷史系列。可以説這是一座巨大的東方文化藝術寶庫，不但集中反映了中華民族數千年文化藝術的歷史發展，凝聚着中國人民巨大的精神力量，同時它也是人類文明進步不可缺少的組成元素。

開發這座寶庫，弘揚民族文化傳統，為社會提供了解和研究這一傳統的可信史料，是故宮博物院的重要任務之一。過去我院曾經通過編輯出版各種圖書、畫冊、刊物，為提供這方面資料作了不少工作，在社會上產生了廣泛的影響，對於推動各科學術的深入研究起到了良好的作用。但是，一種全面而系統地介紹故宮文物以一窺全豹的出版物，由於種種原因，尚未來得及進行。今天，隨着社會的物質生活的提高，和中外文化交流的頻繁往來，無論是中國還是西方，人們越來越多地注意到故宮。學者專家們，無論是專門研究中國的文化歷史，還是從事於東、西方文化的對比研究，也都希望從故宮的藏品中發掘資料，以探索人類文明發展的奧秘。因此，我們決定與香港商務印書館共同努力，合作出版一套全面系統地反映故宮文物收藏的大型圖冊。

要想無一遺漏將近百萬件文物全都出版，我想在近數十年內是不可能的。因此我們在考慮到社會需要的同時，不能不採取精選的辦法，百裏挑一，將那些最具典型和代表性的文物集中起來，約有一萬二千餘件，分成六十卷出版，故名《故宮博物院藏文物珍品全集》。這需要八至十年時間才能完成，可以說是一項跨世紀的工程。六十卷的體例，我們採取按文物分類的方法進行編排，但是不囿於這一方法。例如其中一些與宮廷歷史、典章制度及日常生活有直接關係的文物，則採用特定主題的編輯方法。這部分是最具有宮廷特色的文物，以往常被人們所忽視，而在學術研究深入發展的今天，卻越來越顯示出其重要歷史價值。另外，對某一類數量較多的文物，例如繪畫和陶瓷，則採用每一卷或幾卷具有相對獨立和完整的編排方法，以便於讀者的需要和選購。

如此浩大的工程，其任務是艱巨的。為此我們動員了全院的文物研究者一道工作。由院內老一輩專家和聘請院外若干著名學者為顧問作指導，使這套大型圖冊的科學性、資料性和觀賞性相結合得盡可能地完善完美。但是，由於我們的力量有限，主要任務由中、青年人承擔，其中的錯誤和不足在所難免，因此當我們剛剛開始進行這一工作時，誠懇地希望得到各方面的批評指正和建設性意見，使以後的各卷，能達到更理想之目的。

感謝香港商務印書館的忠誠合作！感謝所有支持和鼓勵我們進行這一事業的人們！

1995年8月30日於燈下

目錄

文物目錄

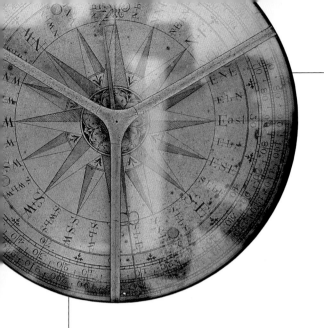

清宮西洋科技儀器的命運

導言

劉潞

明清之際，傳教士的東來，揭開了中西文
化互相沖擊與交流的序幕。清代宮廷是當時文化交流的重要舞台，而科學技術又是交流
中重要的一環。由此，故宮博物院得以珍藏了一大批反映西學東漸的科技文物。儘管
它們的出現距今已經很久遠了，但因某些儀器是我們今天大都曾使用過的，在考察
時，便倍覺親切。而圍繞這批儀器所發生的中西文化間的衝突、比較和融合又似曾相識，
好像剛剛在昨天發生。由於種種原因，清宮西洋科技儀器沒有流失到海外而成為國內尚未整
體面世過的一批最完整的科技遺存。研究它們，並不止於文物欣賞，更多的還是從中認識中
外文化交流中鏡鑑的意義。基於此，我們從故宮珍藏的大批科技儀器中選出二百餘件，編成
這本《清宮西洋儀器》，奉獻給讀者。

清宮科技儀器的特點

故宮博物院收藏的與西學相關的科技文物約
二千多件，其中屬中國傳統的主要有石製日晷、銅壺滴漏、時辰香、升、斗、權等度量衡器
及中醫器具；與西學相關的，品類較為繁雜，大致可分為天文學、數學、物理學、地理學、
機械鐘表及醫學等六大類，每一類中又可分為若干小類，如天文學類中就有天體儀、渾儀與
晷儀的區別，數學類中又有計算工具與度量儀器的區別，甚至在計算工具中又可分出計算尺、
算籌、計算機等等。這樣繁多的種類，分散產生於清代各朝，且隨着時間的推移逐漸增多。
如順治年間，僅有天球儀、渾儀、日晷、地球儀、望遠鏡幾種；到了康熙年間，增加了數學、
測繪學、光學等類儀器；至乾隆年間，機械鐘表的數量和種類激增，形成歷史上"前無古人，
後無來者"的壯觀局面。乾隆以後，宮廷科技儀器的來源基本枯竭，除光緒末年增添了一些
西醫藥類器具外，再未出現其他反映西方科技水平的器物。

從這些儀器進入清宮的時間差別上，可以想見它們帶有很強的時代色彩。事實也確乎如此。

比如16、17世紀時，歐洲盛行依幾何圓錐截面知識製作（下同）的地平式日晷，明末清初時，這種日晷便出現在中國宮廷，其中突出的代表是德國傳教士湯若望（Jeam Adam Schall von Bell）於順治元年（1644）為清廷特製的"新法地平日晷"。

又如意大利科學家伽俐略（Galibeq Galilei）將望遠鏡用於天文活動，觀測到月球上的"山脈"和"海洋"，又在1610年發現了木星的四顆衛星，明天啟六年（1626），湯若望著《遠鏡說》，將望遠鏡介紹給中國，並於明崇禎年間和清順治年間數次為宮廷製作望遠鏡。儘管故宮現存的望遠鏡尚不能確定何者為湯若望所進，但數十架清初的望遠鏡，卻無疑是以雙凸透鏡為物鏡、雙凹透鏡為目鏡的伽俐略望遠鏡的翻版。這些望遠鏡在清宮出現，距伽俐略時代也不過半個世紀。

再如，英國數學家納白爾（Neper Napier）於1617年發明了用於計算的"納白爾算籌"；1628年，意大利傳教士羅雅谷（Jacobus Rho）即在《籌算》一書中將它介紹到中國，清宮最晚至康熙朝中期（1680年前後）也出現了這種籌式計算工具。故宮收藏刻有"康熙御製"字樣的計算尺，在數學史上稱為"甘特式計算尺"，距離英國數學家埃德蒙·甘特（Edmund Gunder）於1630年發明這種尺子最多也不過五十年左右，便在清宮中出現。在數學儀器中，多年來一直為外間矚目的當屬康熙年間清宮自製的手搖計算機。世界上第一台可計算加減法的手搖計算機，是由法國數學家巴斯柯（Blaise Pascal）於1642年在巴黎研製成功，僅半個世紀左右，手搖計算機就進入清宮，並被加以改造：在阿拉伯數字旁附加漢文數字，將加減二法增至加減乘除四法，又獨創橫排籌式計算機等等。

地理學是一門綜合性的科學，它大量汲取天文學、氣象學、地質學諸學科已取得的成果。隨着哥倫布（Christopher Columber）航海發現美洲新大陸，16、17世紀的地理學呈現一派色彩繽紛的景象，地球儀的製作、地圖的測繪、各地風物勘察等，都得以迅速發展。這些發端於歐洲的新地理學成就，不久即在清宮中得到回響。以對全球地理狀況的認識為例：中國自古對天地的認識是以"天圓地方"觀念為主流的（故歷代皇帝分別以青璧和黃琮作為祭天地禮器，直至以圜丘與方澤祭祀天地），但自傳教士利瑪竇（Matteq Ricci）將地圓說介紹到中國後，中國宮廷很快便出現了地球儀；故宮現在保存的最早及最完好的一個地球儀，約於康熙中期製作，這件地球儀在大洋洲上已標明了一些海灣和島嶼，反映了歐洲各國在地理大發現後對大洋洲探索的一些成果。

波蘭天文學家哥白尼（Nikolaus Copernicus）在16世紀提出日心說理論後，遭到羅馬教皇長達三百多年的禁錮，但在17世紀初羅雅谷所著《五緯曆指》中，就已向中國讀者作了介紹；在教廷承認了這一理論後，英國製作的演示日心說的"七政儀"即奉獻到乾隆皇帝面前。七政儀在清宮的出現，對於日心說理論的傳播當然沒有太大意義，因為這在歐洲早已成為科技界的常識，然而，它的產生，卻是教廷公開承認自己謬誤的折射，是歐洲科技蓬勃發展的時代反映。

半個多世紀，在交通與通訊完全現代化的今天，不可不說漫長，但在僅靠航船與馬車的三百多年前，尤其是在歐亞兩大洲、東西兩大文化背景下，科技成果的長距離的遞傳，半個世紀就不能不說是個較短的時段了。正在這個意義上，我們看到了這批科技儀器所具有的時代色彩。

西學東漸是清宮科技儀器產生的基本原因

清宮出現上述品類豐富、數量眾多的科技儀器並非偶然，首先是由於明清之際西學東漸的背景。自從早期到達中國的意大利傳教士利瑪竇用自鳴鐘、望遠鏡等"西洋奇器"敲開了明代宮廷的大門後，西方科技儀器便與中國宮廷結下了不解之緣。

耶穌會士們遠涉重洋來到中國，為的是在歐洲以外尋求人們對天主教的信仰。他們對在中國傳教充滿了信心，認為"中國擁有一大批傑出的有識之士和學問淵博的學者。在中國，教育和學問享有很高的榮譽。我們對上帝充滿了希望和信心，我相信基督的名字總有一天會在中國深入人心。"[1] 他們完全沒有想到，被他們高度讚揚的中國文明卻為他們的傳教帶來了難以想像的重重困難。

明朝末年的中國，是一個被儒學傳統滋養培育了二千多年，具有高度成熟文明的國家。自官方到民間，從貴族至平民，人們的觀念、心態、行為方式，少有不被納入儒學框架的，與傳教士所宣教的理論處處抵牾。以宗法人倫為本位的儒家思想，強調的是以血親關係為親和力，注重建立以三綱五常為基本秩序的封建宗法制度；但基督教卻要求信仰者以上帝的平等子民身份彼此相愛，這在儒家看來，是對中國等級社會秩序的巨大破壞；"天人合一"、"萬物一體"，是儒家對充滿矛盾的物質世界的基本認識，而基督教卻信奉絕對真理，這些對傳統儒學是十分生疏且難以接受的。

不難想像，在豐厚的儒學土壤上生長起來的明末知識分子，聽到來自地中海國家的異樣說教時，是何等的驚異與懷疑！直接用這種"異端邪說"幾乎無法開啟中國人，特別是儒家士大夫的心靈大門。面對如此堅實的文化隔膜，中西文化傑出的溝通者利瑪竇審時度勢，選擇了一條非正宗的特殊傳教路綫——利用西洋科技在學者官宦中活動的上層傳教路綫。他向與之交往的文人展示了他所攜帶的新奇之物，如西洋紙、西洋琴、天文算學諸儀器等，以期引起觀者的興趣。"余見西域歐羅巴人利瑪竇，出示彼中書籍，其紙白色如繭，薄而堅好，兩面皆字，不相映奪，贈余十番，受墨不滲，井水不濡，甚異之。"[2] 正是這些散發着異國文化氣息的物品激發了明末知識分子的好奇心，縮短了他們與利瑪竇之間的距離，在開始接受利氏所展示的器物的同時，也開始思索他宣傳的異教。明廷高層官員、南禮部尚書王弘誨就是因為這些西洋"奇器"開始注意利瑪竇的活動的，而利氏也正以當時頗受士宦人士稀奇的三棱鏡作為與之相見的見面禮。王弘誨認為三棱鏡是無價之寶，可以作為利瑪竇到北京後入閣的"台石"。萬曆二十八年（1600），利瑪竇果然用這些西洋奇器，如天主像、聖母像、大小自鳴鐘、三棱鏡、西洋琴等敲開了明代宮廷大門，贏得萬曆皇帝的青睞，據説萬曆皇帝還特別為大自鳴鐘在御花園內建鐘亭。自鳴鐘為利瑪竇進京掃清了障礙，此後伴隨他在京傳教而開始的修曆，則為西洋科技儀器進入中國宮廷開通了道路。

實際需求是清宮出現科技儀器的直接動力

利瑪竇所做的這些努力，應該説只是為科技儀器進入中國宮廷提供了一個有利的外在條件，還需要內在條件來呼應。此時的內在條件就是明清宮廷對科技儀器的實際需求。

明朝末年，由於《大統曆》年久失實，崇禎皇帝批准朝中已接受西方科技的有識之士關於修曆的請求。當時，主持修曆的禮部尚書徐光啟在首善書院開曆局，聘請利瑪竇參與。利瑪竇死後，又有德國傳教士湯若望等入局供職。開曆局以後，傳教士們名正言順地製造了多件望遠鏡、天球儀、象限儀等，這是西方科技儀器正式進入明宮廷的開始。

清朝對科技儀器的需求，首先反映在明清易代，需重頒曆法、確立正朔這一重大問題上。

在中國歷史上，一向有認為天象與王朝政治密切相關的傳統。天象的變化，從來都是對人間萬象的警示，曆法的頒佈隨之成為歷代帝王的一項特權。奉誰家的曆法為正朔，也就成為尊誰為正統，臣服誰家王朝的象徵。以明朝為宿敵的清朝入主中原，勢必要改換舊朝許多具象徵意義的符號，如服飾、髮型等，曆法當然也在其中。新朝對曆法的需求為西方科技進入清宮廷提供了一個難得的機遇。

早在崇禎年間，利瑪竇、湯若望等為明廷修曆時，儘管對天文實測有過八次西洋"新法密合"、《大統曆》失實的記錄，但崇禎皇帝仍不能下決心頒行依西洋新法編製的《崇禎曆書》，這完全是由於他對廢棄明朝正朔《大統曆》而改奉新曆懷有恐懼心理所致。曆法的更替，在政治層面上有改朝換代的意味，處在風雨飄搖中的崇禎皇帝當然十分敏感。然而，明亡清興的政治風暴對前來中國傳教的湯若望不僅無消極影響，反而提供了有利機會。他抓住順治元年（1644）八月初一日將發生日蝕而《大統曆》預報失實一事，向清帝提出以新法儀器測算的申請，為西洋儀器進入清宮打開了大門。本書中收入的"新法地平式日晷儀"就是湯若望在順治元年（1644）第一次奉命為清廷製作的諸種天文儀器之一。

康熙初年，再次出現因政治變故導致科技儀器入宮的情形。當時，清欽天監內爆發了一場因奉行不同天文理論而發生著名的"曆法之爭"。使用阿拉伯曆的吳明烜、楊光先等人攻擊使用西洋新法的湯若望等傳教士圖謀不軌，受到輔政大臣鰲拜的支持，使湯若望等身陷囹圄。當吳明烜等預測天象再次失誤時，湯的助手、比利時傳教士南懷仁（Ferdinand Verbiest）依據其前輩利瑪竇在中國宮廷積累的經驗，利用皇帝與輔臣間的矛盾，上疏參劾受鰲拜支持的吳明烜、楊光先。而手無實權的康熙皇帝亦想利用這機會與鰲拜較量。他命九卿大學士率欽天監一干人馬，先於午門前驗日影，又至觀象台用象限儀、紀限儀、赤道經緯儀、黃道經緯儀等西洋儀器測當年立春日時，結果"南懷仁所言皆符，吳明烜所指不實。"[3] 西洋科技儀器準確的預測功能，為康熙廢黜鰲拜起到投石問路的作用。鰲拜被黜後，南懷仁重被起用，封欽天監監正，成為當時清廷科技儀器製造的主要設計者和主持者。康熙朝前期許多儀器都是在南懷仁指導下製成的，本書收錄的"南懷仁製渾天儀"就是他返欽天監後為皇帝製造的第一架天文儀。

清中晚期後，社會劇變。無論天象發生甚麼吉凶徵兆，都無可挽回國勢衰微的趨勢，王朝國運與天象變化密不可分的古老觀念已無市場，宮廷天文學走向末路。與此相關的科技儀器當然也很難再出現甚麼先進的品種。清宮科技儀器此時發生了轉向，從前期的天文數學類為主轉到醫學類為主。西洋醫學是隨着堅船利炮轟開國門而進入中國的。時事的變遷，令時人感到西方醫學才是當時西方科技水平的代表，梁啟超的一段話很有代表性："凡世界文明之極軌，唯有醫學。……醫者，純乎民事者也，故言保民必自醫學始。"[4] 在這種思潮影響下，醫學維新也成為清末宣傳改良的主要內容，隨後亦被光緒皇帝列入新政之一。正是在維新變法的政治需求推動下，晚清宮廷才可能存留下人體解剖模型等西醫藥器具。

皇帝興趣的差異是清宮科技儀器變化的重要原因 清宮科技儀器在不同時代呈現不同的狀況，而變化原因又與當朝皇帝個人的態度或興味直接相關。

康熙皇帝對西方科學抱有極大的熱忱。當時在宮中為他傳授科技知識的傳教士，對他執着的追求和在學習中表現的頑強精神有過翔實生動的記錄：

"康熙這樣學了四、五年，他始終很勤奮，對於政務也絲毫不懈怠，沒有一天誤了上朝。他並不只認死理，總是把所學的知識付諸實踐，他學習得很開心，對於給他上的課程理解得很好。例如，給他講固體的成分時，他就會拿起一個球，精確地稱出它的重量，測出它的直徑。然後，他就會算出同樣材料、直徑不同的另一個球的重量，或者算出另一個比較大的或比較小的球的直徑該是多少。……有時候打算用幾何方法測量距離、山的高度、河流和池塘的寬度。他自己定位，調整各種形式的儀器，精確地計算。然後他再讓別人測量距離，當他看到自己計算的結果和別人測量的數據相符合，他就十分高興。"[5] 本書收錄多件伽俐略式的比例規、各式幾何體及測繪儀等正是對這些見聞的有力印證。

康熙對數理化的興趣，當然不是憑空產生的，而是他少年時成功地處理了那場曆法之爭所帶來的效應。多少年後，他曾感慨地談到他學習曆算的動力："爾等惟知朕算術之精，卻不知我學算之故。朕幼時，欽天監漢官與西洋人不睦，互相參劾，幾至大辟。楊光先、湯若望於午門外九卿前當面睹測日影，奈九卿中無一知其法者。朕思己不能知，焉能斷人之是非，因自憤而學焉。"[6]

康熙對自然科學的濃厚興趣，使他有眼光注意到這一領域的狀況，從而提出一些只有最高統治者出面才易成行的舉措。他受當時歐洲主要國家建立科學社團風潮的影響，在宮內也設立了類似的機構，稱"蒙養齋算學館"，旨在培養高級數理人才。傳教士白晉（Joachim Bouvet）說："中國皇帝仿此範例（指建立科學社團——筆者註），開始在他自己的宮殿裏建立起繪畫、雕刻、雕塑以及為製作時鐘和其他計算工具的銅、鐵器工匠之類的'科學院'。皇帝還經常提出要以歐洲的，其中包括巴黎製造的各種作品為樣品，鼓勵工匠與之競賽。"[7]對此，與康熙同時代的德國啟蒙思想家萊布尼茨（Gottfried Wilhelm Leibniz）評價說："我以為，康熙帝一個人比他所有的臣僚都更具遠見卓識。我之所以視他為英明的偉人，因為他把歐洲的東西與中國的東西結合起來了。……他以其廣博的知識和先見之明，遠遠超過所有漢人和滿人，彷彿在埃及金字塔上又添加了一層歐洲的塔樓。"[8]

透過這些珍貴的歷史文獻，我們對清宮中遺留下大量的康熙時期科技儀器，如清宮製御用數學用桌、清宮製手搖計算機等，有了真切的理解。

清中期時，宮內天文數學等科技儀器減少，精美絕倫的機械鐘表、玩具大量出現，其直接原因是乾隆皇帝個人愛好的推動。清宮檔案中有很多關於乾隆帝要求傳教士製作機械玩具的記載。如乾隆十八年（1753），命傳教士席澄源、楊自新設計一種新式的"有法子（條）自行、鰲山、陳設三件"，同年又下令"將自行虎著交如意館西洋人收拾"，乾隆二十年（1755），命席澄源做成一具自行人，乾隆二十七年（1762），又命席澄源照先前做過的自行人再做雙自行人一件，乾隆三十年（1765），"命照含經堂時樂鐘樣式，要如意館另配做一件，裏面安轉盤活動人物"等等[9]。

由於乾隆皇帝的權威及個人興趣，宮廷製鐘的技術水平較前大大提高，康熙時，宮廷僅生產單一實用性鐘表，而此時生產發展為集走時、報時、音樂、活動景觀等多功能於一體的觀賞性鐘表，甚至外國進獻的鐘表也要迎合乾隆這一口味。如英國為中國特製可用毛筆書寫"八方向化，九土來王"的寫字人鐘、"天文地理鐘"、"象拉戰車表"等，這些器物裝飾的華貴，功能的繁複，以及所嵌鐘表與整個器物尺寸大小的強烈反差都告訴我們，乾隆皇帝關心的，並非技術本身，而在於用先進技術製出的機械玩具。這一點，連當時在宮中服務的傳教士也看得很清楚："楊自新教士在獅子體內裝置了許多彈簧使它能走動。他把最先進的機械製造技術都用到了他的機器人上，令人驚歎不已。"[10]

乾隆皇帝擁有大批將機械技術、金屬、琺瑯、玻璃工藝以及音樂、繪畫、雕塑藝術集一身的鐘表，亦是他生逢其時的反映。18世紀的歐洲是科學技術大發展的時期，機械製造業十分活躍，特別是英國，其鐘表製造水平已居歐洲之冠。乾隆憑藉清初近百年積累起來的財富，經廣州海關購進大量英國鐘表，一時間，英國鐘表不僅充斥於宮內各個殿堂，也成了後宮妃嬪、王公大臣嚮往的時尚享受。對此，身為宗室的昭槤十分感慨："近日泰西氏所造自鳴鐘鐘表，製造奇邪，來自粵東，士大夫爭購，家置一座，以為玩具。"[11]

顯然，由於貿易手段，中西間交流的渠道較清初大為拓寬了，歐洲科技進入中國似乎具備了更好的條件，但情況卻適得其反。

乾隆本人對數學物理等自然科學一竅不通，也毫無興趣，他曾寫詩自嘲："皇祖精明溝股弦，惜吾未習值髫年。而今老固難為學，自畫追思每愧旃。"[12] 對科學技術茫然無知的狀況及妄自尊大的心態，使乾隆對18世紀傳入中國的西方先進科技儀器，口頭上也承認"精巧愈古"，實際上卻十分排斥。當英國馬戛爾尼（Sir Macartney）使團將顯示歐洲工業和科技實力的機械、數理儀器、槍炮等作為禮品攜來中國時，在乾隆眼中，那些精密的儀器就僅為"效法天地轉運，測量日月星辰度數，在西洋為上等器物，要亦不過張大其詞而已。現今內府所製作儀器，精巧高大者，盡有此類，其所稱奇異之物，只覺視等平常耳。"[13] 在這種思想支配下，清宮科技儀器的數量只會日益減少，且水平與世界相比也愈見低下。

歷史的回聲

故宮保存的清代西方科技儀器，在向我們展示了中國科技史與中西文化交流史上燦爛一頁的同時，也給我們留下不少思索的空間。

鴉片戰爭之前，清王朝一直實行閉關鎖國政策，一切外來文化欲在中國求得立足之地，不知要付出多少艱辛代價。可誰曾想到，在制訂並大力推行這一政策的清朝皇帝的深宮寶庫中，竟珍藏一大批熠熠生輝的西洋科技儀器，其中有許多在今天的歐洲人眼中也是稀世珍寶。這似乎是難以想像、不可思議的，但仔細梳理，仍可找到其中潛含的道理。這並非因康乾諸帝早已明白"師夷之長技"、"中體西用"等晚清知識分子面對西方挑戰時提出的種種回應辦法，應該說首先是由文化傳播的規律決定的。

西洋科技儀器無疑是西方文明的產物，屬物質文明範疇。這些物化了的文明，居於表層的是它們的工具價值，隱含在深層的則是其內在價值。如"南懷仁製渾天儀"，其工具價值在於對太陽、地球、月亮等天體運行的演示，同時，因製作依據是地心說，這架儀器就成為17世紀時西方普遍持有的宇宙觀的生動體現。再如"康熙朝地球儀"，在它向人們展示全球地理風貌這一工具價值背後，蘊含的是自古希臘時就形成的大地球形說觀念，反映的是17世紀前後殖民主義的擴張行為以及地理大發現的史實。

人對事物的認識總是由表及裏，從具體到抽象。這一認識規律決定了文化傳播通常先從器物開始，逐漸才會深入到影響器物產生的社會結構、制度、觀念形態等。當中國人經受西方文明撞擊時，面對眼花繚亂的西洋布、西洋紙、西洋琴、西洋儀器、聖母像、歌德式教堂以及成千上萬卷闡述西學義理的書籍，自然會首先選擇實用價值突出的科技儀器，再考慮基督教教義。當然，這些包含有西方文化理念的儀器，如果不具備突出的工具性，而僅是一種文化象徵（如與宗教直接相關的教堂、管風琴等），具務實傳統的中國人接受起來恐怕還要經歷更長的時間。正因如此，對於集務實心理、儒家三綱五常義理等中國文化多方面特徵於一身的清朝皇帝來說，在對西方文化的選擇上，則更強調其工具價值，而排斥或摒棄其與中國傳統觀念相異的內涵。

從本書所收錄的文物可以看出，這批科技儀器有一個突出的特點，就是屬清前期的基本保留了它們傳入時的原貌，即保持了形式與內容的完整統一，如望遠鏡、地球儀、測繪儀等，幾乎都是原封不動地照傳或仿製，只是有些文字標示，將西文改為中文，如伽俐略比例規，上面的文字為漢字，但造型和刻度都一如西式。僅有個別儀器，製作者出於強調某種目的，將其添加了一些中國文化的表徵。如湯若望在順治元年（1644）所進的新法地平日晷儀刻上了龍紋，南懷仁在康熙十二年（1673）為觀象台製作的幾架大型天文儀鑄造了龍架等等。清中期以後，情況有變化，出現了一些為科技儀器添加中國文化表徵的情況，如書中收錄的"萬壽天常儀"、"三辰公晷儀"等，但就整體情況而言，這一時期的科技儀器基本還是保持了傳入時的面貌，幾件標有產自倫敦的儀器被堂而皇之地收入皇家欽定的清代典制器物總匯《皇朝禮器圖式》一書中，就是當時從朝中到民間對西方儀器認可的反映。

何以科技儀器沒有像基督教那樣，遇到若不作一番適應中國國情的改造便不能在異鄉生存的命運呢？其原因仍與它們的實用功能，即工具價值相關。當實用性需求強烈時，儀器的工具價值就格外突出。試想，湯若望製作的"新法地平式日晷"，如果不能起到準確預測日蝕時間的作用，在清廷亟需時，它能被呈送到皇帝面前嗎？康熙時期，傳教士製作的一些數學、測繪學儀器也一樣，其主要價值在於用來測算距離、比重、體積，如不能勝任這些作用，它們也就不可能在康熙皇帝組織全國大地測量時於宮廷出現。可見，在工具價值突出時，所謂中國化的問題就還提不到日程上。然而，當實用性的需求減弱，觀念性的需求突出時，其內在價值便上升了，儀器是否需"中國化"的問題也就擺到人們的面前了。

對當時的西方科技儀器而言，內在價值中很重要的一方面體現在思想史中的科學體系上。愛因斯坦說過："西方科學的發展，是以兩個偉大成就為基礎的，那就是：希臘哲學家發明的形式邏輯體系（在歐幾里德幾何學中），以及通過系統的實驗發現，可以找出因果關係（在文藝復興時期）。"[14] 由於中國古代缺乏不講實用，專為理論的實驗科學的體系，科技儀器在思想史上的這一價值幾乎喪失殆盡，僅餘下中國文化賦予它們（主要是天文儀器）的特殊內涵，即天文學是皇權重要組成部分，天文儀器是皇權的象徵。這一內在價值，至今我們在故宮還能看到：只要是皇帝的正殿，都必設日晷——儘管機械鐘表在殿內已隨處可見。日晷早已轉化為皇權的象徵而非測時工具了。

這種變化沒有出現在清初而發生在清中期，是由清統治者出身於滿民族的特殊狀況所致。

英國科學家李約瑟說："一種概念傳入後，到底發生甚麼樣的反映，這取決於當地文化的特徵。"[15] 作為滿族貴族建立的清王朝，從入主中原至清中期，經歷了一個從生活方式、語言文字、社會制度、價值觀念等全方位吸收漢文化的過程。乾隆年間，清廷最後確立了朝中諸項制度，在體現與維護社會等級秩序的"禮"制中，列入天文、數學、地理等學科及相關儀器，並以皇帝敕命繪製《皇朝禮器圖式》一書的形式公佈於世。制度的最後完善是清王朝完成吸收漢文化過程的標誌。在傳統漢文化中，天文學從來就是帝王的"專利"，如堯帝"乃命羲和，欽若昊天，曆象日月星辰，敬授民時"[16]，舜帝"乃在璇璣玉衡，以

齊七政"，[17] 古代帝王通過控制對天象的闡釋權來體現並強化皇權。當現實的科技需求減弱，且清王朝又全面完成了漢化過程後，天文儀器包含的這一內在價值上升為清帝關注的要點。因而，此時才能製造出在技術上並無多大改進，在體現內在價值方面則有些獨到之處的"萬壽天常儀"等。正因為科技儀器內在價值在此時的轉換，才使清王朝能夠不論產地，僅以內在價值為唯一標準，將產自英法等國的儀器也列入清朝典制巨著——《大清會典圖》與《皇朝禮器圖式》中。在這種情況下，儀器屬於中式還是西式，在中國人眼中就沒有太大的意義了。可以說，這是西方科技儀器沒有絕對中國化的重要原因。

科技儀器是社會生產力水平與科技水平的綜合產物，發展與變化應是其基本特徵。乾隆將科技儀器制度化則與儀器本身潛含的動態趨勢相矛盾，直接導致阻礙科學技術發展的惡果。當科技儀器成為某一文化的象徵，成為等級制度的體現時，它的作用便凝固了，生命力也就停止了。清宮西洋科技儀器的命運，也可視為清王朝從興盛至衰亡的歷史縮影。

註釋：

(1) 〈沙勿略致耶穌會創始人羅耀拉的信〉，轉引自朱維錚編《基督教與近代文化》，上海，人民出版社，1994年版，頁33。

(2) 王肯堂：《鬱岡齋筆塵》卷4，北平圖書館，1930年版。

(3) 《清聖祖實錄》，卷18。

(4) 梁啟超：〈醫學善會序〉，載於中國史學會編《戊戌變法》第四冊，神州國光社出版，1953年，頁449。

(5) 〈法國傳教士洪若翰致拉雪茲神父信〉，轉引自《洋教士看中國宮廷》，上海，人民出版社，1996年版，頁41。

(6) 《清聖祖實錄》，卷23。

(7) 同註(5)。

(8) 【德】夏瑞清編：《德國思想家論中國》，南京，江蘇人民出版社，1995年版，頁6。

(9) 鞠德源：〈清代耶穌會士與西洋奇器〉，載於《故宮博物院院刊》，1989年第2期。

(10) 《傳教士汪洪的信》，書同註(5)，頁65。

(11) 《嘯亭雜錄》，卷3。

(12) 【清】弘曆：〈題宋版周髀算經〉，《清高宗御製詩四集》，卷93。

(13) 【清】弘曆：〈紅毛英吉利國王差使臣馬戛爾尼奉表貢至，詩以志事〉，《清高宗御製詩五集》，清內府刻本，卷84。

(14) 《愛因斯坦文集》，北京，科學出版社，1985年版，卷1，頁574。

(15) 【英】李約瑟：《中國科學技術史》，卷1，頁566。

(16) 〈尚書·堯典〉，載於《阮刻十三經注疏》。

(17) 同上書，〈舜典〉。

圖版

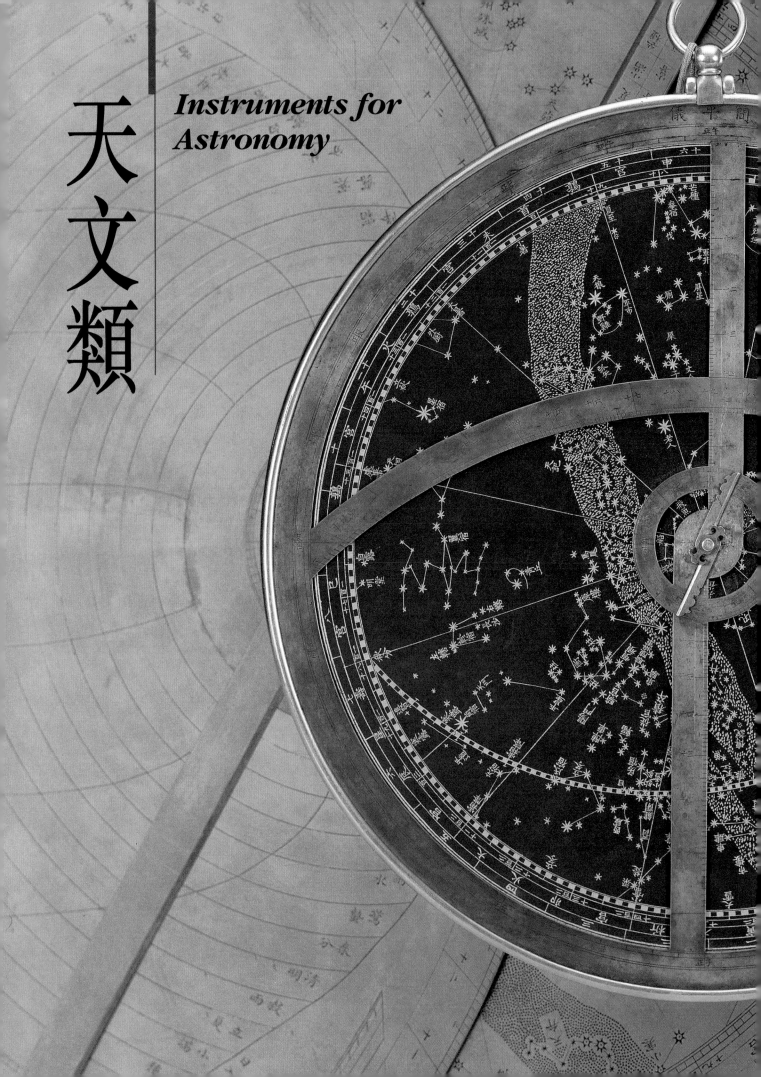

天文類

Instruments for Astronomy

故宮博物院收藏的清代天文儀器，絕大部分是清宮自製，或由傳教士或外國使團由歐洲攜來進獻清宮的，按類別分為以下幾種：

天體儀

天體儀是將天體表現為球形的天體模型，球面列佈星名與星宿，並設有赤道經緯圈等裝置，以便確定星宿的位置。清廷在不同時期製作過數架天體儀，這些天體儀的坐標多採用黃道坐標，與中國歷代以赤經、赤緯為天體坐標不同。這是由於歐洲直到17世紀時尚在使用黃道坐標，傳教士將這一傳統原封不動地搬到了中國；清宮受其影響，製作了這些黃道坐標的天體儀。

渾儀

渾儀是一種球形觀測儀，由子午圈、地平圈、赤道圈、黃道圈等對應於天球諸帶刻度的圓圈及窺管構成。如果借助窺管觀測天體，即可由大圈的刻度上讀出任何一顆星所在的方位。在17世紀望遠鏡發明之前，它是天文學家在測定天體方位時不可缺少的儀器。在清宮小型渾儀中，有傳統的由外、中、內三層構成的"六合、三辰、四游"儀(見康熙朝製渾天儀)。"六合"即指外層地平、子午、赤道三環;"三辰"是指中層可繞軸旋轉的黃道、赤道、白道三環;"四游"則是內層帶窺管的四游環。有簡化傳統結構的渾儀(見乾隆朝製三辰公晷儀),也有來自西方製作的七政儀等。這些儀器與觀象台上大型實測渾儀相比,只能用於演示日、月、五星等天體運行現象,非實測之器。

日月晷儀

日晷,是利用日影測定時刻的計時器。"晷"字,古義是太陽的影子。

清宮中的日晷,因設計原理的差別,大致分為地平式與赤道式兩類。地平式是指晷針與晷盤面之夾角度數等於測時當地的緯度,即使用時晷盤面與當地水平面平行,再由晷針投在晷盤的日影求得時刻。這類日晷是17世紀傳教士從歐洲攜入中國後才開始廣為製作的。赤道式,則要求晷盤與地球赤道面平行,晷針與地球的地軸方向相一致,通過晷針投在晷面日影位置的變化來測定時間。赤道式日晷是中國傳統日晷。但清宮收藏的這類日晷在時刻刻度上已採用了西法,即由傳統的"百刻制"改為西方的"九十六時刻制",在清宮收藏的日晷中,有些還附有測方位角、求測太陽高度等功能。

日晷之外,還有月晷、星晷,它們分別是通過測月或測星而求時刻的計時器。

清宮天文儀器的一個特點,就是使用西方天文儀器的同時,對中國傳統儀器進行了研究改造,如分圓周為360°,分一日為96刻的度量單位以及部分採用黃道坐標等。但是,由於沒有將望遠鏡引進天文儀器中,清宮的天文儀器還處在"前望遠鏡"時代,並無多少先進性可言。

鐵鋄金天體儀

1

清順治十四年 (1657)

通高31厘米　地平圈直徑31厘米

清宮造辦處

清宮舊藏

Gold-damascened iron celestial globe
Made by the Workshops of Qing Court
14th year of Shunzhi's reign,
Qing Dynasty (1657)
Overall height: 31cm
Horizontal circle diameter: 31cm
Qing Court Collection

鐵鋄金天體儀

清順治十四年 (1657)

通高31厘米　地平圈直徑31厘米

這是清宮所藏的最早一件天體儀。

球體由鐵軸貫穿球的中心，球體繞軸旋轉一周圈，代表天球的周日視運動過程。天體儀上有地平圈、子午圈等若干圓圈，環繞天球中腰的為地平圈，與之正立相交的為子午圈，子午圈上設有天頂、北天極、時刻盤、游標。球體採用17世紀時歐洲常用的黃道坐標，在天球上刻南、北黃極、黃赤二道、黃經、黃緯綫、星象等，星象按星等標注。

天體儀的用途主要是通過黃道坐標、赤道坐標、地平坐標三者進行換算以及測求時刻。由於這件天體儀地平圈為縷空刻花圓盤，球體黃道上也未刻二十四節氣，星象圖也不標準，無法進行實際求測，只是一件天體模型。

天體儀鐫刻"順治十四年製"和"星等一、二、三、四、五、六"銘文。

銅鍍金天體儀

2

清晚期

通高100厘米　天球直徑50厘米

清宮造辦處

清宮舊藏

Gilt-copper celestial globe
Made by the Workshops of Qing Court
The late Qing Dynasty
Overall height: 100cm
Globe diameter: 50cm
Qing Court Collection

這件銅鍍金天體儀的地平圈內有刻度和方位，上置游標；子午圈上刻有四象限。天球上刻有赤道、黃道，沿黃道刻二十四節氣，球體上還刻有星象，所有星按一至六星等標注。北極處沒時刻表盤（現已丟失），天體儀採用的是黃道坐標。

這件天體儀具備求某節氣時某星中天時刻的功能。操作法是先把球面上所載某節氣轉到正對着子午圈下面，再使時盤上游標對正南北方向，最後把某星轉到正對子午圈下面，時刻盤所指時刻就是所求某星中天時刻。

紙製天體儀

清光緒
通高52.2厘米　地平圈直徑31厘米
中國湖南
清宮舊藏

Paper-made celestial globe
Made in Hunan Province, China
Guangxu period, Qing Dynasty
Overall height: 52.2cm
Horizontal circle diameter: 31cm
Qing Court Collection

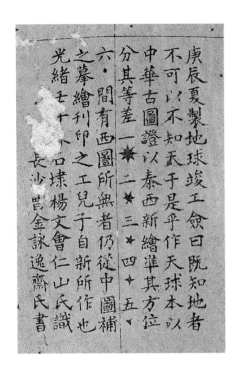

這件天體儀上有用黑漆繪畫的星象及其名稱。這些星辰均按其等級標注（一至六等），並注有三垣二十八宿名稱。

此天體儀是湖南長沙的楊仁山製作的。設計中採用赤道坐標，並配有方形木座。這反映出至清代晚期"天圓地方"的傳統宇宙觀在朝野中仍佔有一席之地，可見近代西學"地圓説"在中國深入普及是何等艱難。

天球儀赤道以南的部位上繪有製造天球儀的説明文字。

銀鍍金南懷仁款渾天儀

清康熙八年 (1669)
通高37.3厘米　座邊長35.8厘米
清欽天監
清宮舊藏

**Gilt-silver armillary sphere with the mark
"Ferdinand Verbiest"**
Made by the Directorate of Astronomy
8th year of Kangxi's reign,
Qing Dynasty (1669)
Overall height: 37.3cm
Side length of pedestal: 35.8cm
Qing Court Collection

《皇朝禮器圖式·卷三》

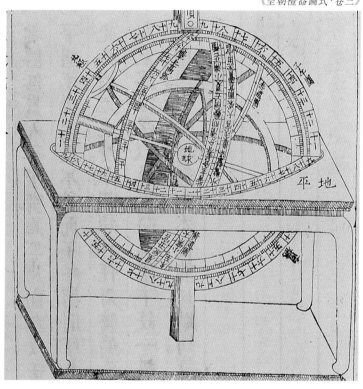

渾天儀是用於演示或觀測天體運動的球形儀器,由對應於天球諸大圓的帶刻度的圓環構成。

這件渾天儀安設在紫檀木方形框架中。儀器上的水平圓圈為地平圈,刻有度分。與地平圈垂直相交的為子午圈,刻有四象限。子午圈以內的各環分別為黃道帶、黃道圈、赤道、白道,皆刻有度數。地球安設於通軸的中心,上刻有"亞細亞"、"歐羅巴"、"阿美利加"、"利未亞"等當時五大洲的名稱。

旋轉渾天儀可以演示太陽、月亮圍繞地球轉動的情況,並可表現出日、月蝕現象。

這件渾天儀是清欽天監官員、比利時傳教士南懷仁 (Ferdinand Verbiest) 於康熙八年 (1669) 製作的,採用的是中國傳統的"六合、三辰、四游"的結構設計法和托勒密"地心說"的理論。

黃道帶上鑴刻滿漢文字,漢文為"康熙八年仲夏臣南懷仁等製"。

銅鍍金月象演示儀

18世紀
通高49.5厘米　地平圈直徑30厘米
法國巴黎
清宮舊藏

Gilt-copper instrument for demonstration of lunar phase
Made in Paris, France
18th century
Overall height: 49.5cm
Horizontal circle diameter: 30cm
Qing Court Collection

月象儀是演示月球在一個月內周期變化的渾儀。其構造除有地平圈、子午圈外，在子午圈內橫向置有五個圓環，自上而下分別代表天球的北天極、北回歸綫、赤道、南回歸綫、南天極，另在赤道圈處又設有黃道帶，上標有黃道十二宮名稱及符號，在五環內還設銀圈，上標刻太陰曆的1日—29日。這件儀器各環最中心處小球為地球，地球一側空間設有外表黑白參半的小球，代表月球 (黑色半球表示背着太陽的一面，白色半球則是朝向太陽的一面)。演示儀下端有搖把和支架。

當用搖把操作月象儀時，由於齒輪系統的作用，地球在自轉公轉的同時，帶動旁邊的小月球也轉動，並出現朔、望、上弦、下弦等月相。

月象儀上端鑲有銀圓標盤，上刻1721—1744年，説明此儀器適用的年代範圍。此儀器製成於法國巴黎，其製作時間應早於康熙六十年 (1721)，疑為康熙朝傳教士多次往返巴黎與北京時攜入清宮的。

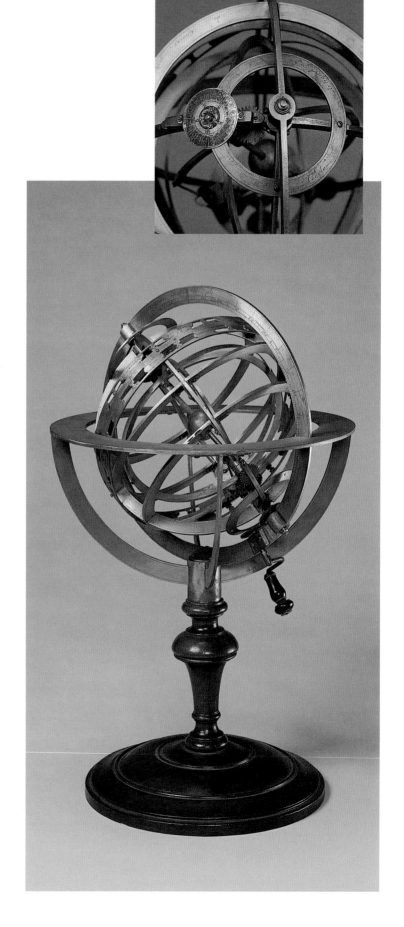

銅鍍金渾天合七政儀

18世紀
上盤直徑36.8厘米　下盤直徑31.1厘米
英國
清宮舊藏

Gilt-copper armillary orrery
Made in England
18th century
Upper dial diameter: 36.8cm
Lower dial diameter: 31.1cm
Qing Court Collection

渾天合七政儀是用於演示太陽系中金、木、水、火、土、地球、太陽七星（即"七政"）運轉的儀器。

18世紀是哥白尼"日心説"理論與實踐在歐洲都取得長足進展的時期。在此期間，歐洲的儀器製造家製作出一些反映太陽系星球運轉的儀器，以表現哥白尼的"日心説"。

乾隆朝初期，宮廷中曾有此類儀器："渾天合七政儀"與"七政儀"。這是"日心説"在中國傳播的一個重要反映。

渾天合七政儀同七政儀中的星體運行是一致的，所不同的是前者未設齒輪裝置，在人工撥動中儀器演示出天體行星運行的情景。

《皇朝禮器圖式·卷三》

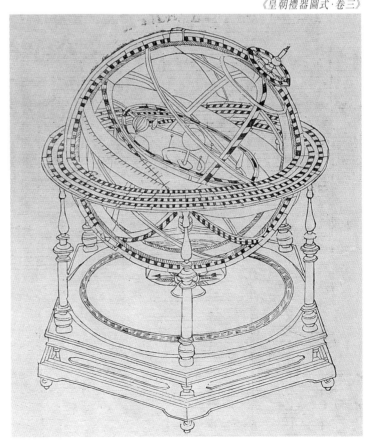

銅鍍金七政儀

18世紀

高71.3厘米　上盤直徑54.6厘米

下盤直徑28.4厘米

英國

清宮舊藏

Gilt-copper orrery
Made in England
18th century
Height: 71.3cm
Upper dial diameter: 54.6cm
Lower dial diameter: 28.4cm
Qing Court Collection

《皇朝禮器圖式 · 卷三》

七政儀上諸圓環的排列順序最外是黃道圈，上刻有四象限和黃道十二宮，與黃道圈相倚的為赤道圈，正立的為子午圈，與之十字相交的為卯酉圈，最內為七政盤。七政盤又分三層，外層設置火、木、土三顆行星，其中木星帶有四顆衛星，土星帶有五顆衛星。中層設地球和月亮，內層設金星和水星，內層的最中心才是太陽。這種結構與康熙初年南懷仁製作的渾天儀將地球安放在儀器最中心就截然不同了。

七政盤上的月球為黑白二色，以代表朝向地面與背向地面的狀況。在太陽的一旁設一銅瓶，銅瓶背着太陽的一面有指南針，它指向黃道圈的位置即從地球上看到太陽所在的位置，而銅瓶對着太陽的這面內鑲凸透鏡，將銅瓶點上燈，凸透鏡則可射出平行光，代表太陽光。儀器在表演時，開啟發條後，衛星繞着行星轉，行星繞着太陽轉，月亮繞着地球轉並地球自轉，在"太陽光"下隨着地球、月球的運轉又出現了月球"朔、望、上弦、下弦"的月相變化及日蝕、月蝕的天象。

七政儀下端裝置一時刻盤，隨着齒輪的帶動，指針旋轉一周代表一日，恰好也是上端地球自轉了一周。

七政儀的圓形地平盤上鐫刻儀器製作者的名款 "Rich GInne Feeit"（黎奇 · 格里尼製）。

銅鍍金乾隆甲子年款三辰公晷儀

清乾隆九年（1744）

通高71.8厘米　子午圈直徑36.7厘米

清宮造辦處

清宮舊藏

Gilt-copper universal sun-moon-stars dial with the mark "Qianlong Jiazi Nian Zhi"
Made by the Workshops of Qing Court
9th year of Qianlong's reign,
Qing Dynasty (1744)
Overall height: 71.8cm
Meridian circle diameter: 36.7cm
Qing Court Collection

三辰公晷儀是通過測日、月、星求得時刻的儀器，它可隨觀測點所處的地理緯度進行調整，故名"公晷儀"。這件儀器的特殊之處是用西洋方法，將中國傳統的"六合、三辰、四游"的環架結構簡化。

清宮廷於乾隆九年（1744）至乾隆四十五年（1780），共製作過四件"三辰公晷儀"，這是其中第一件。在它的子午圈外壁上鑴刻"大清乾隆甲子年製"銘文。這件儀器是清代觀象台上大型實測儀——璣衡撫辰儀的最初模型。

9

銅鍍金乾隆戊戌年款三辰公晷儀

清乾隆十三年（1748）
通高68.4厘米　子午圈直徑36.7厘米
清宮造辦處
清宮舊藏

Gilt-copper universal sun-moon-stars dial with the mark "Qianlong Wuxu Nian Zhi"
Made by the Workshops of Qing Court
13th year of Qianlong's reign,
Qing Dynasty (1748)
Overall height: 68.4cm
Meridian circle diameter: 36.7cm
Qing Court Collection

儀器的子午圈上刻周天360°，與子午圈十字相交的有三重圓圈，外重的天常赤道圈上分初、正二級，刻十二時辰，中重的游旋赤道圈上，刻赤道十二宮，最內的過極游圈上一邊開中縫，對應的另一邊留中綫，可作為游標觀測三辰。

三辰儀由花梨木精雕西洋蔓草紋支架承接，圓盤底座的小抽屜內放有清宮廷天文學家何國宗書寫的磁青紙燙金字說明書，在盤底座中心處置一指南針，以定方向。

三辰儀子午圈上鐫刻"大清乾隆戊戌年製"銘文。

銅鍍金乾隆庚子年款三辰公晷儀

清乾隆四十五年（1780）
通高68厘米　子午圈直徑36.7厘米
清宮造辦處
清宮舊藏

Gilt-copper universal sun-moon-stars dial with the mark "Qianlong Gengzi Nian Zhi"
Made by the Workshops of Qing Court
45th year of Qianlong's reign,
Qing Dynasty (1780)
Overall height: 68cm
Meridian circle diameter: 36.7cm
Qing Court Collection

這是乾隆朝宮廷製作的最後一件三辰公晷儀。使用前先定儀器的南北方位和水平。

定南北方向用指南針，定水平則要先根據觀測者所在的地理緯度，將子午圈上相應刻度正對準座心圓孔，再使天頂掛墜綫下垂對準地心，此時儀器處於水平狀態。

如通過太陽求時刻，先將游標內尖對準過極游圈中綫（即起準星作用），再將過極游圈與游旋赤道圈同時推轉，當過極游圈中綫正對太陽時，太陽、游圈中綫、游標內尖在同一直綫上，此時游標外尖所指即所求時刻。

通過測月、五星以求時刻的方法與通過太陽的方法大同小異，所不同的是要先

查《七政赤道經度表》上標明的此時月、星所在某宮的刻度，根據表中提示，將過極游圈中綫對準游旋赤道上的刻度，再將過極游圈連同游旋赤道圈推轉，當從過極游圈中縫窺到的月、星恰對中綫時，中綫游旋赤道上刻度與月、星同在一直綫上，此時游標外尖所指即是所求時刻。

三辰公晷儀子午圈外壁上刻"大清乾隆庚子年製"銘文。

銅鍍金乾隆丙寅年款三辰儀

清乾隆十一年 （1746）

通高72厘米　最大環直徑39厘米

清宮造辦處

清宮舊藏

Gilt-copper sun-moon-stars dial with the mark "Qianlong Bingyin Nian Zhi"
Made by the Workshops of Qing Court
11th year of Qianlong's reign,
Qing Dynasty (1746)
Overall height: 72cm
The maximum circle diameter: 39cm
Qing Court Collection

《皇朝禮器圖式·卷三》

三辰儀與三辰公晷儀的區別是僅能在限定的地理緯度內使用而不能隨地理緯度調整。它由三重圈構成，外重固定不動的是天常赤道圈，中重是可以左右旋轉的游旋赤道圈，內重是能繞極軸轉動的過極游圈，游圈中心是極軸和游標。三辰儀由七根銅支柱承托，支柱下為有水槽相通的十字底座，盛水後底座成為一個名副其實的水平儀。

此儀子午圈側面銘刻："大清乾隆丙寅年製"款。

銅鍍金萬壽天常儀

清乾隆十五年（1750）

通高37.5厘米

清宮造辦處

清宮舊藏

Gilt-copper celestial equator projector engraved with characters of "Shou" (longevity)
Made by the Workshops of Qing Court
15th year of Qianlong's reign,
Qing Dynasty (1750)
Overall height: 37.5cm
Qing Court Collection

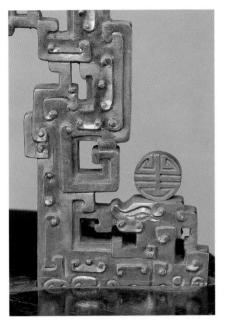

《皇朝禮器圖式·卷三》

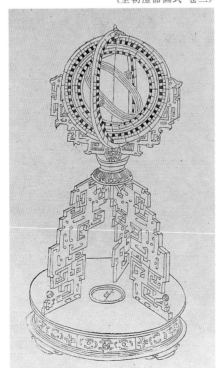

萬壽天常儀的結構同於三辰公晷儀，其功能與用法也與三辰公晷儀同，只是因鍍金支架上精雕有各式"壽"字而被稱為"萬壽天常儀"。從此儀器小巧的體積看，應是一件陳設在宮內殿堂之中的演示儀。

13 湯若望款新法地平式日晷

清順治

晷盤長23.1厘米　寬14.7厘米　通高17厘米

中國

清宮舊藏

Gilt-silver sundial in horizontal style with the
mark "Jean Adam Schall von Bell"
Made in China
Shunzhi period, Qing Dynasty
Length of sundial: 23.1cm　Width: 14.7cm
Overall height: 17cm
Qing Court Collection

新法地平式日晷為銀鍍金質，安設在一方形框架內。晷盤上刻有時刻綫與節氣綫，晷針設計成三角形，晷儀底部鏨雙龍花卉紋，並刻有豎向銘文"順治元年七月吉日恭進參改曆法遠臣湯若望製"。

使用新法地平日晷時，先用指南針定南北，後使晷針直立，當陽光至晷針缺口處被遮蔽時，便在晷面上投下日影，順其節氣綫找到相應的時刻綫，即是所求時刻。

這件儀器引人注目的是晷盤邊緣所刻的"新法地平日晷"數字。所謂新法，意指此日晷的製作採用了歐洲流行的地平式日晷的設計原理，並在刻度上將中國傳統的一日百刻和等分刻度法改為一日九十六刻，並以不等分形式標注時刻綫。

這件新法地平式日晷是德國傳教士湯若望於順治元年 (1644) 七月九日特別向攝政王多爾袞和順治皇帝呈上的獻禮，也是這位著名的中德文化交流者留給中國的帶有自己名款的珍貴科技作品。

銅鍍金八角形地平公晷儀

18世紀
晷盤長6.2厘米　寬5.8厘米
法國
清宮舊藏

Octagonal gilt-copper universal sundial
in horizontal style
Made in France
18th century
Length of sundial: 6.2cm　Width: 5.8cm
Qing Court Collection

八角形地平式日晷，晷盤上刻有羅馬數字及阿拉伯數字，設有指南針。
晷針上端設有緯度弧，上刻30°-50°，表明此日晷適用於北緯30°-50°
以內地區測時，故稱"公晷儀"。

使用時，由指南針定南北方向，再調整晷針在緯度弧上的位置，將晷針
固定在觀測者所處的地理緯度上，視晷針在晷盤上所投日影位置即知
時刻。

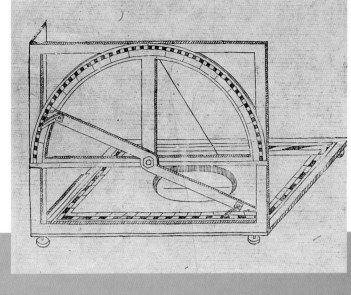

15 御製銅鍍金半圓地平日晷

清康熙四十年 (1701)

晷盤長14.2厘米　寬11.2厘米

清宮造辦處

清宮舊藏

Semicircular gilt-copper sundial in horizontal style
Made for imperial order in the Workshops of Qing Court
40th year of Kangxi's reign,
Qing Dynasty (1701)
Length of sundial: 14.2cm　Width: 11.2cm
Qing Court Collection

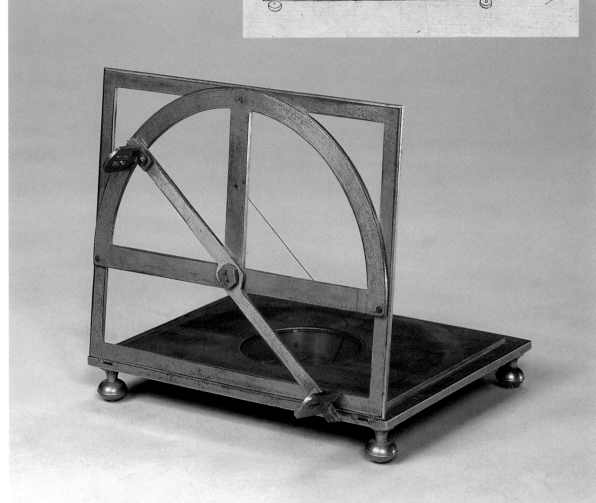

這件御製地平日晷的晷針比較特殊,是由一根連接邊框立柱與時刻盤小孔間的絲綫構成,同時此儀還兼具測太陽高度的功能。在邊框立柱的下端設一游標,表兩端有可供照準的立耳。

使用時,由指南針先定南北,再視細綫在時刻盤上的日影,即是所求時刻。如旋轉邊框上的游標,使之對準太陽,此時游標上端所指半圓弧上的刻度即是太陽的高度。

日晷的時刻盤上鐫刻"康熙四十年夏日御製"。

銅鍍金方形地平公晷儀

18世紀
晷盤邊長10.5厘米　通高12.5厘米
法國
清宮舊藏

Square gilt-copper universal sundial in horizontal style
Made in France
18th century
Side length: 10.5cm
Overall height: 12.5cm
Qing Court Collection

地平式日晷的一端設有直表,上按地理緯度刻若干個小孔,晷盤上對應直表的另一端也刻小孔,兩孔之間所繫絲綫即是晷針。

測時的時候,先用指南針定方向,再根據當地所處地理緯度調整直表與晷盤間絲綫的位置,這時絲綫(晷針)在晷盤上的投影即是所求時刻。

晷盤上刻 "ELEVATIO POLI"。

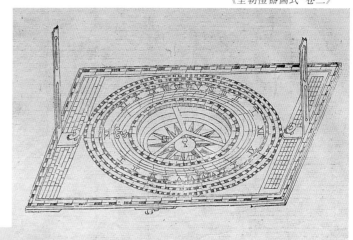

17 銅鍍金定南針指時刻日晷儀

18世紀

晷盤長43.2厘米　寬35.5厘米

英國

清宮舊藏

Gilt-copper sundial with compass pointing time graduation
Made in England
18th century
Length of sundial: 43.2cm　Width: 35.5cm
Qing Court Collection

定南針指時刻日晷儀，盤中心所嵌指南針兼有定方向和充當晷針兩種功能，晷盤周圈刻有黃道十二宮、時刻綫、節氣綫及羅馬數字，還有計算尺、對數尺、立耳等。

此日晷的時刻逆日影移動方向排列。測時刻時，先轉動晷盤，將立耳內中縫對準太陽，當兩立耳與太陽成一直綫時，指南針所指即是所求時刻。

晷盤上鐫刻"Londini"。

嵌琺瑯地平式日晷儀

清中期
晷盤長13.7厘米　寬7.5厘米
中國廣州
清宮舊藏

Champleve enamel sundial in horizontal style
Made in Guangzhou, China
The Mid-Qing Dynasty
Length of sundial: 13.7cm
Width: 7.5cm
Qing Court Collection

日晷以白色琺瑯裝飾在時刻盤上，繪有時刻綫。翠藍色琺瑯裝飾的方位盤上注寫金色"南"字。

使用時，先用指南針定方向，水準管調水平後，晷針在晷盤上的投影即為當時時刻。

此日晷製於廣州，貢入朝廷，上面帶有清廷當年所掛墨書黃簽："賞日晷帶定南針一件"。

嵌琺瑯孔雀尾形地平式日晷儀

清乾隆
晷盤長4.8厘米　寬3.8厘米　高2.2厘米
清宮造辦處
清宮舊藏

**Peacock-tail-shaped sundial in horizontal
style, champleve enamel**
Made by the Workshops of Qing Court
Qianlong period, Qing Dynasty
Length of sundial: 4.8cm
Width: 3.8cm　Height: 2.2cm
Qing Court Collection

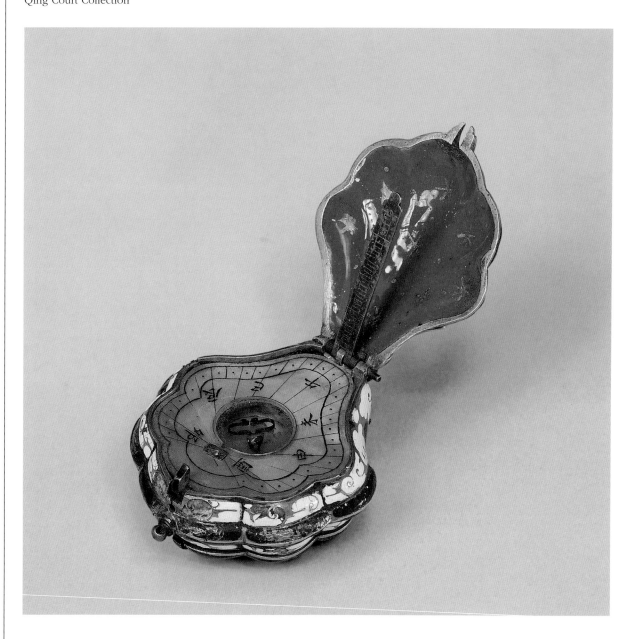

這是一件嵌在孔雀尾式琺瑯盒內的小日晷。盒底為晷盤,嵌有指南針,並標寫"卯"、"午"、"酉"等時辰符號。盒蓋上裝有晷針,可依測時人所在的地理緯度調節晷針的傾角,根據晷針在晷面的投影可知時刻。

嵌琺瑯帶鉛垂綫地平式日晷儀

清中期
晷盤長11.5厘米　最寬7.6厘米
清宮造辦處
清宮舊藏

**Champleve enamel sundial with vertical lead
line in horizontal style**
Made by the Workshops of Qing Court
The Mid-Qing Dynasty
Length of sundial: 11.5 cm
Maximum Width: 7.6cm
Qing Court Collection

這件日晷的晷盤為圓弧形，圓弧中間放置水準管。晷盤一端為指南針，
另一端立一銅架，架上懸掛鉛垂綫。藉助水準管和鉛垂綫可以調節日
晷水平。在晷盤一端和直立銅架之間連有一斜綫，為晷針。調準日晷方
向和水平後，斜綫在指時盤上的投影即為當時時刻。

紙製圓形地平式日晷儀

19世紀

通高2.8厘米　晷盤直徑5.2厘米

日本

清宮舊藏

Round paper-made sundial in horizontal style
Made in Japan
19th century
Overall height: 2.8cm
Sundial diameter: 5.2cm
Qing Court Collection

這件日晷晷盤正中的南北綫一邊標有"前"字,意為午前所求測的時刻
範圍,一邊標有"後"字,表示午後所求測的時刻的範圍。

銅鍍金巴黎款提環赤道公晷儀

22

18世紀

晷盤外徑18.8厘米

法國巴黎

清宮舊藏

Gilt-copper universal ring sundial marked
with "Paris" in equatorial style
Made in Paris, France
18th century
Outer sundial diameter: 18.8cm
Qing Court Collection

提環赤道公晷儀是一種赤道式日晷。"公晷"
意指在地球上各個緯度區都能測時的通用晷
儀。

這件提環赤道公晷儀共分三重。外重是銅圈
形框架,上附提環;中重為子午圈,上刻
360°;內重為赤道圈,(即晷盤),圈面及內壁
刻有時刻綫。子午圈的南北極有一固定的直
表,直表上一面刻有黃道十二宮,另一面刻
有十二月令。直表中細縫處安有一游標,游
標中心有小孔,以透日光測時。

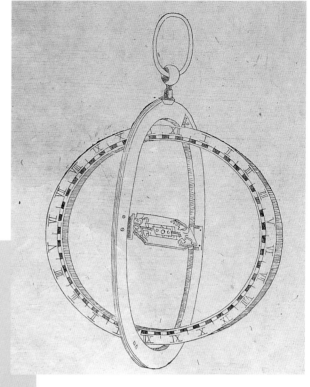

測時刻時,先將提環固定在當地地理緯度上,
後使子午圈對正南北方向,這時直表平行於
地軸赤道圈,(晷盤)平行於赤道面,再將游
標對準直表上所刻的當日所處宮度上,最後
手持提環,根據透過游標中央小孔的日光在
晷盤上的投影可知時刻。

這類日晷結構簡單,操作方便,在清宮所藏日
晷中佔有一定的比例,是清宮收藏的典型的
早期西洋赤道式日晷。

日晷子午圈上鐫刻"PARIS"。

23

銅鍍金刻世界名城提環赤道公晷儀

18世紀

晷盤外徑12.7厘米

法國

清宮舊藏

Gilt-copper universal ring sundial engraved with world famous cities in equatorial style
Made in France
18th century
Outer sundial diameter: 12.7cm
Qing Court Collection

這件公晷儀子午圈的一面用法文刻有巴黎、倫敦、莫斯科等世界著名城市名稱及其地理緯度，另一面刻南北緯度各90°。赤道圈外壁以羅馬數字刻十二小時，內壁以阿拉伯數字刻十二小時，計時單位均精確到刻（即十五分鐘），直表兩面分別刻黃道宮度與十二月令。

銅鍍金巴黎款提環公晷儀

18世紀

晷盤外徑8.5厘米

法國巴黎

清宮舊藏

Gilt-copper universal ring sundial marked with "Paris"
Made in Paris, France
18th century
Outer sundial diameter: 8.5cm
Qing Court Collection

此提環公晷儀上鐫刻 "Paris"。

銅鍍金計分式提環赤道公晷儀

18世紀

晷盤外徑22.5厘米

英國

清宮舊藏

Gilt-copper universal ring sundial with a minute-reckoning unit in equatorial style
Made in England
18th century
Outer sundial diameter: 22.5cm
Qing Court Collection

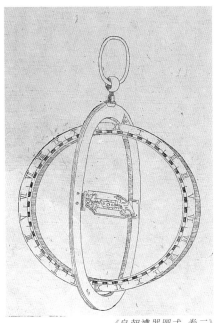

《皇朝禮器圖式·卷三》

這件提環赤道式日晷內壁的計時單位一小格代表兩分鐘，在測時的時候可更精確地反映出所測時間。

銅圓形時刻盤赤道公晷儀

18世紀

底盤邊長7.5厘米

法國巴黎

清宮舊藏

Round copper universal sundial with a time-showing dial in equatorial style
Made in Paris, France
18th century
Side length of bottom dial: 7.5cm
Qing Court Collection

赤道式公晷儀的上層為晷盤，觀測時，需根據當地的地理緯度將晷盤固定在緯度弧上相應的部位，通過晷針在晷盤上的日影確定所求時刻。

公晷底盤鐫刻 "PARIS" 款識。

銅鍍金測分時赤道公晷儀

27

18世紀

地平盤邊長25厘米

英國

清宮舊藏

Gilt-copper universal sundial for observing
hours and minutes in equatorial style
Made in England
18th century
Side length of horizontal dial: 25cm
Qing Court Collection

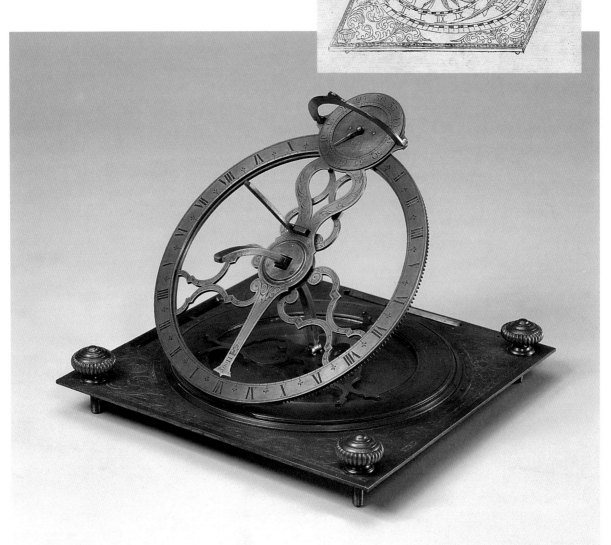

這是一件不僅可測時亦可測分的赤道公晷儀,分上、下兩層,下層為設
有緯度弧的方形地平盤,上層為設有大游標的晷盤,游標上端附直表,
直表頂端又連接有一分時盤和半圓立環,環中心有透光孔。

使用時,先由指南針及水準管定南北和水平,依觀測地所在地理緯度
將晷盤固定在緯度弧上相應位置,再旋轉大游標,此時大游標帶動着
分時盤的指針亦旋轉。當分時盤上半圓立環透光孔的月光與直表中綫
重合時,游標下端所指處即是測求的時刻,分時盤時針所指的便是分
時。

銅鍍金八角立表赤道式公晷儀

18世紀

晷盤長6.9厘米　通寬5.5厘米

英國

清宮舊藏

**Octagonal gilt-copper universal sundial with
a pointer in equatorial style**
Made in England
18th century
Length of sundial: 6.9cm
Overall Width: 5.5cm
Qing Court Collection

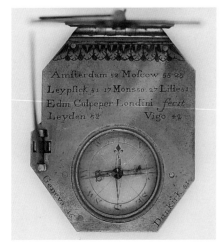

八角立表赤道式公晷儀，其"八角"是指晷儀和八角形式，"立表"即晷針，"公晷儀"則指可在北緯60°以內任何地區測時。

晷儀設有晷盤、底盤、晷針、指南針、緯度弧。底盤正反面均刻有世界著名城市名稱及其緯度，為不同地區的測時提供了方便。

銅鍍金八角形赤道公晷儀

18世紀

地平盤長7.3厘米　寬5.8厘米

法國

清宮舊藏

**Octagonal gilt-copper universal sundial
in equatorial style**
Made in France
18th century
Length of horizontal dial: 7.3cm
Width: 5.8cm
Qing Court Collection

八角形公晷儀分上、下二層。上層為晷盤，中心設三角形晷針。下層為
底盤，其一側設有緯度弧，底盤正、反面還刻有某些著名城市的名稱及
其地理緯度，如倫敦51°、羅馬42°等。

銅鍍金八角立表赤道公晷儀

18世紀

晷盤邊長15厘米　寬13.1厘米

法國

清宮舊藏

**Octagonal gilt-copper universal sundial with
a pointer in equatorial style**
Made in France
18th century
Side length of dial: 15cm　Width: 13.1cm
Qing Court Collection

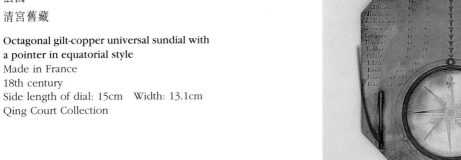

形制與前件基本相同，日晷時刻盤上鑴 "A PARIS" 和 "CHAPOIOI"。

銅鍍金腰果形赤道公晷儀

清乾隆

盤邊長15厘米　最寬9.5厘米

清宮造辦處

清宮舊藏

Gilt-copper cashew-shaped universal equinoctial sundial
Made by the Workshops of Qing Court
Qianlong period, Qing Dynasty
Side length of dial: 15cm
Maximum Width: 9.5cm
Qing Court Collection

此件底座呈腰果形，日晷一邊安置指南針，一邊放置晷盤，上立晷針，晷盤與底座面的交角可以根據不同地區的緯度調節。晷盤"卯"、"酉"之間有一段挖空的圓弧，其作用是在任一時期，特別是在靠近春分和秋分的日子，都能觀測到針影落在時刻綫間的位置，提高測時的精確度。

銅鍍金提環赤道式日晷儀

18世紀

晷盤直徑11.5厘米

法國

清宮舊藏

Gilt-copper equinoctial ring sundial
Made in France
18th century
Sundial diameter: 11.5cm
Qing Court Collection

赤道式日晷的子午圈上有象限刻度，盤內鐫時刻表，中心設晷針，晷盤背面設游標，游標上端設提環。

求測時刻時，先依觀測者所在地理緯度將提環固定在子午圈相應的刻度上，再將晷針立起，最後手持提環使日晷對正南北，視晷針在晷盤上的投影位置即得時刻。

日晷晷盤上刻法文 "A Loccident heures du soiv, A Lorient heurcs du Matin"。

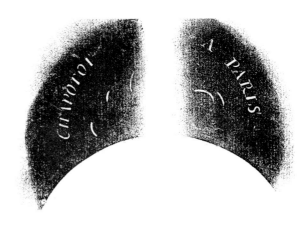

銅鍍金赤道式日晷儀

18世紀

晷盤直徑11.9厘米

法國

清宮舊藏

Gilt-copper sundial in equatorial style
Made in France
18th century
Sundial diameter: 11.9cm
Qing Court Collection

赤道式日晷由晷盤、晷針、底盤、指南針、緯度弧幾部分組成。

求測時刻時，先根據測時所在地理緯度將晷盤固定在緯度弧相應位置，再由指南針定南北，最後根據晷針投在晷盤上的日影便可得出所求時刻。

34

銅鍍金方赤道式日晷儀

18世紀

地平盤邊長13厘米

英國

清宮舊藏

Square copper sundial in equatorial style
Made in England
18th century
Side length of horizontal dial: 13cm
Qing Court Collection

方赤道式日晷分上、下兩層。上層鏤空方框內連一半圓形時刻盤，盤兩面刻時刻綫，中央設一可轉動的晷針。下層盤中心設指南針。盤一端裝有活動樞鈕，依其周圍的刻度調節晷盤的地理緯度。

求測時，定好南北方向，旋轉樞鈕，使晷盤固定在當地地理緯度上，視晷針投在晷盤上的日影可知時刻。

銅鍍金經緯赤道公晷儀
18世紀
通高22厘米　底徑8.2厘米
英國
清宮舊藏

Gilt-copper universal equinoctial sundial
Made in London, England
18th century
Overall height: 22cm
Bottom diameter: 8.2cm
Qing Court Collection

這件經緯公晷儀比一般日晷多了一個機械計時的功能。使用時，先通過指南針將儀器對正南北方向，用鑰匙開啟機械小表的發條，使表針轉動，同時也帶動鏤空花的赤經盤旋轉，從而得到機械計時時刻。

儀器上鐫刻"London"銘文。

地平經緯赤道公晷儀

36

18世紀

通高35厘米　晷盤直徑25厘米

英國倫敦

清宮舊藏

Horizontal universal equinoctial sundial
Made in London, England
18th century
Overall height: 35cm　Dial diameter: 25cm
Qing Court Collection

這是一件兼具測太陽距地平高度的日晷儀，上刻有"THOE HEAIH LONDON"。

銅圓盤日月星晷儀

16世紀
通高18.1厘米　晷盤直徑13.7厘米
德國科隆
清宮舊藏

Round copper triple dial of the sun,
the moon and the stars
Made in Colon, Germany
16th century
Overall height: 18.1cm
Dial diameter: 13.7cm
Qing Court Collection

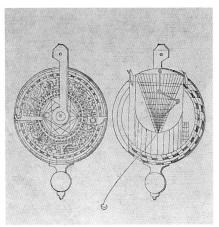

《皇朝禮器圖式·卷三》

日月星晷儀是一件既可通過測日，又可
通過測月和星而測時的儀器。它的一面
為日晷，晷盤上刻節氣綫、時刻綫、時刻
度分、北緯度及黃道十二宮。晷盤上設立
耳、游標、墜綫。日晷這面是專用於通過
測日以求時刻的。

它的另一面為月晷，自下而上有三張盤
重疊，第一重盤為黃道十二宮及其度數
盤；第二重盤為日期和時刻盤；第三重盤
為月亮圖形的直表，盤中心有孔，可驗看
底盤刻畫的“朔、望、上弦、下弦”等月相
圖。星晷則在月晷的外端，月晷、星晷分
別是通過測月、星以求得時刻的。這件儀
器上有用拉丁文刻寫的科隆 (COLON)
和用羅馬數字刻寫的1541年，疑為出生
於科隆的德國傳教士湯若望攜進宮中。

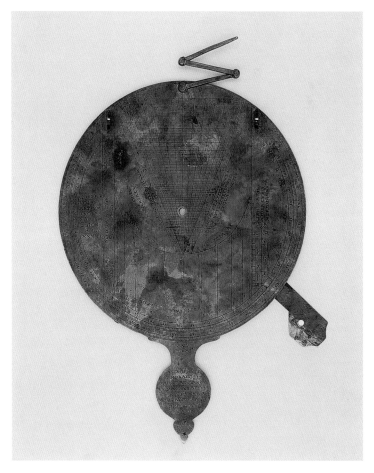

御製銅鍍金星晷儀

清康熙五十三年 (1714)

通高21.5厘米　晷盤直徑11厘米

清宮造辦處

清宮舊藏

Gilt-copper stars dial made by the imperial order

Made by the Workshops of Qing Court
53rd year of Kangxi's reign,
Qing Dynasty (1714)
Overall height: 21.5cm
Dial diameter: 11cm
Qing Court Collection

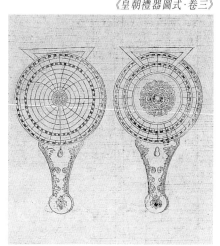

《皇朝禮器圖式·卷三》

星晷是通過測星而求時刻的儀器，分上下兩重盤，上盤稱天盤，周圈刻二十四節氣。天盤上端設三角形直表，表背面左右兩邊分別刻"勾陳"、"帝星"二星名，中間刻"兩星表"三字。下盤稱地盤，一面周圈刻十二時辰，另一面外周圈刻十二時辰，內周圈刻更時——一、二、三、四、五更，中間部位橫向排列二十四節氣表。還設有橫縱綫，橫綫為節氣綫，縱綫為更綫。星盤中心孔內安墜綫以取直。

此晷儀在測時中可精確到"更"的時刻。"更"是古代的一種計時單位，每天以日落為起更，日初為亮更，一夜共計五更時。在使用時，測者先轉動天盤，使盤上三角形直表標有"帝星"、"勾陳"的兩端分別對準北天極中的"帝星"與"勾陳"二星，視墜綫在天盤上所指的節氣，再對應地盤上的時刻，即是所求時間。如求更時，則依測星所得節氣對應在地盤上的更綫，由更綫再找對應的時刻，即是所求的更時和時刻。

天盤內鐫刻"康熙五十三年"。晷柄刻"康熙御製"。

銅鍍金方月晷儀

清乾隆九年 （1744）

月晷通高20厘米　晷盤直徑18厘米

清宮造辦處

清宮舊藏

Square gilt-copper moon dial
Made by the Workshops of Qing Court
9th year of Qianlong's reign,
Qing Dynasty (1744)
Overall height: 20cm
Dial diameter: 18cm
Qing Court Collection

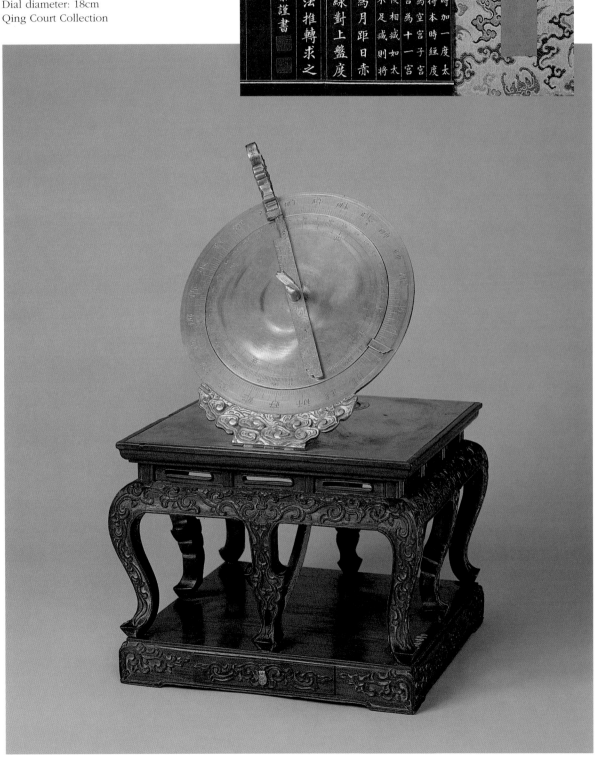

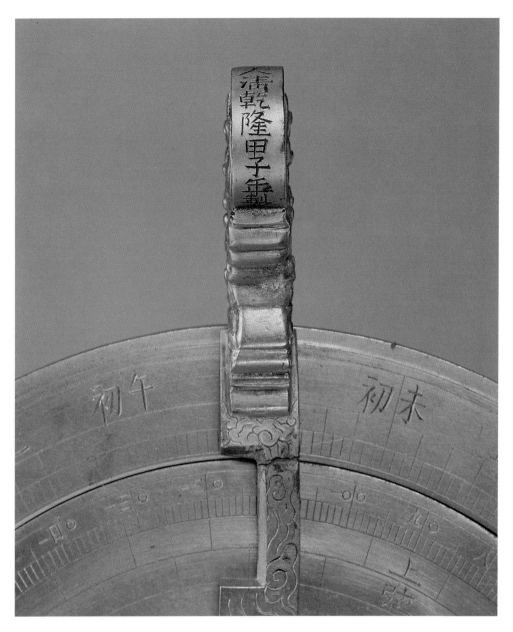

月晷儀是通過測月求時刻的測時儀器，由時刻盤、日期盤、游標、直表、指南針、緯度弧、木座等幾部分構成。專用於通過看月影以求時刻。

這件月晷儀在設計上以圓形的晷盤代表天，以方形的木座象徵地，寓意"天圓地方"。

游標立環鐫刻"大清乾隆甲子年製"款。

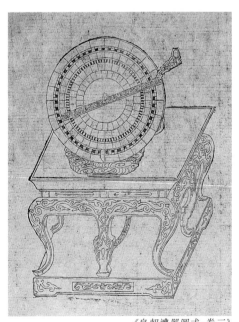

《皇朝禮器圖式·卷三》

銅鍍金日月晷儀

清乾隆十年 (1745)
晷盤直徑29厘米
清宮造辦處
清宮舊藏

**Gilt-copper mixed-dial of the sun and
the moon**
Made by the Workshops of Qing Court
10th year of Qianlong's reign, Qing Dynasty (1745)
Dial diameter: 29cm
Qing Court Collection

這是一件按赤道裝置將日月晷合為一體
的計時器。

日月晷的晷盤分兩重,下重盤為時刻盤,
周圈刻十二時辰,分初正與每時四刻。上
盤為日期盤,周圈刻360°,並標注"朔、上
弦、望、下弦"。日期盤"朔"字前出小直
表,中心設大游標與窺視環,窺視環與大
游標是同步旋轉的,環內一邊開中縫,一
邊留中綫。

將日月晷由指南針定好方向,再依日月
晷盤下的緯度圈定好觀測者所在緯度,
夜晚按月晷求時法可測得時刻,白天用
窺視環對準太陽,視大游標尖所指時刻
盤的位置即是所求時刻。

儀器窺視環上鐫"大清乾隆乙丑年製"銘
文。

銅鍍金圓形月晷儀

清乾隆四十三年（1778）

晷盤直徑35.5厘米

清宮造辦處

清宮舊藏

Round gilt-copper moon dial
Made by the Workshops of Qing Court
43rd year of Qianlong's reign,
Qing Dynasty (1778)
Dial diameter: 35.5cm
Qing Court Collection

用月晷測月求時刻時，先定儀器的南北
方位及地理緯度，再借助《月距日經度
表》將大游標中綫固定在日期盤的相應
位置，然後用直表帶動大游標與日期盤
同時轉動，至大游標窺視環內全無月影，
亦即窺視環與月球成一直綫時，視游標
在時刻盤上所指，即得時刻。

游標窺視環上鐫"大清乾隆戊戌年製"銘
文。

銅鍍金月晷儀

清乾隆四十五年（1780）

通高49厘米　晷盤直徑55.7厘米

清宮造辦處

清宮舊藏

Gilt-copper moon dial
Made by the Workshops of Qing Court
45th year of Qianlong's reign, Qing Dynasty (1780)
Overall height: 49cm
Dial diameter: 55.7cm
Qing Court Collection

清宮廷於乾隆九年（1744）、十年
（1745）、四十三年（1778）、四十五年
（1780），分別製造過四架銅鍍金月晷儀。
這些儀器有的用於觀象台上實測，有的
作為禮器陳設於皇太后居住的慈寧宮
中。

銅鍍金赤道圭表合璧儀

18世紀

晷盤長42.3厘米　寬28厘米

英國倫敦

清宮舊藏

Gilt-copper equinoctial sundial consisting of an elongated dial and one gnomon

Made in London, England

18th century

Length of dial: 42.3cm

Width: 28cm

Qing Court Collection

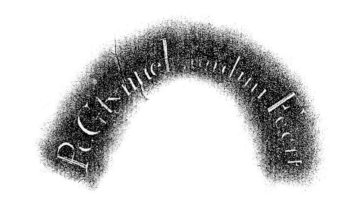

合璧儀是指將赤道式日晷與圭表同設在一個長方形晷盤上的儀器。赤道式日晷可通過測日影以知時刻；圭表可以通過測午正時表影的長度來推算太陽在黃道上的位置，從而得知當時的節氣及所處方向。

在英國製造的這件儀器上，清廷又在原有的黃道十二宮上相應刻上中國傳統的十二宮名稱。

晷盤鐫刻"London"。

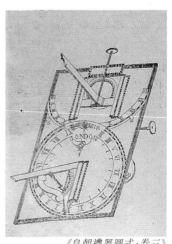

《皇朝禮器圖式·卷三》

銅鍍金測時圭表合璧儀

18世紀
晷盤長46.5厘米　寬37厘米
英國倫敦
清宮舊藏

Gilt-copper time-measuring sundial consisting of an elongated dial and one gnomon
Made in London, England
18th century
Length of dial: 46.5cm　Width: 37cm
Qing Court Collection

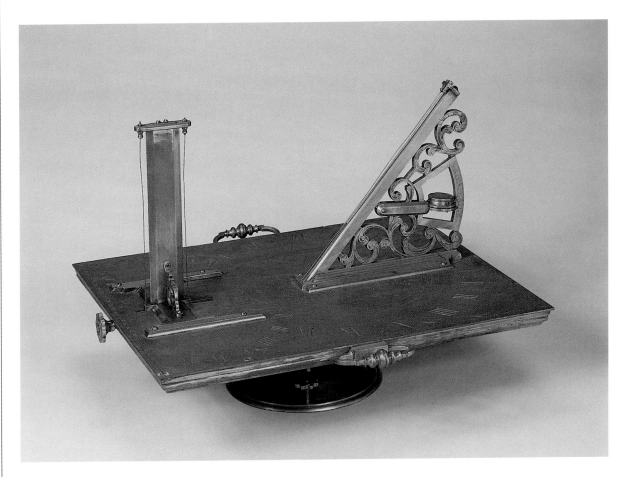

這件合璧儀的特殊之處，是晷盤的傾角需通過調整水平儀解決。求測時，在將合璧儀對準南北方向後，根據觀測者所在的緯度，調整緯度弧上的水平儀，再手旋長鏍絲調整晷盤的位置，至盒內液體呈水平狀，此時晷盤與赤道面平行，晷針與地球自轉軸方向相一致，視晷針在晷盤上日影所指，即是所求時刻。

若用圭表測方向，先將晷盤中心的直表固定在當日所處的黃道宮度上，再通過調整水平儀將晷盤調整到水平狀，待直表投下的日影與黃道宮度相重合時即是午正時刻，日影所指也就是觀測地的南北方向。

晷盤上刻"London"銘文。

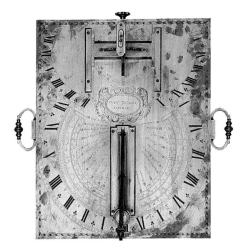

磁青紙製簡平儀

清康熙
星盤直徑32.2厘米
清宮造辦處
清宮舊藏

Simplified Ciqing paper-made astrolabe
Made by the Workshops of Qing Court
Kangxi period, Qing Dynasty
Astrolabe diameter: 32.2cm
Qing Court Collection

簡平儀是夜窺星辰擬定星象或星位,晝視日影定時刻的儀器,屬星盤一類。

中世紀時,西方廣泛使用星盤來測量天體高度,元初曾傳入中國,但由於與中國傳統的赤道坐標不相宜,一直未能引起重視。直至明末,傳教士利瑪竇等來華,再次將星盤傳入中國,與此同時,傳教士熊三拔編譯了相關的理論書——《簡平儀說》,李之藻等人編著了《渾蓋通憲圖說》,才引起了有關學者的關注。

康熙宮廷製作了三件簡平儀,這是一件採用赤道坐標的簡平儀。

御製銅鍍金簡平儀

清康熙二十年 (1681)
星盤直徑32.1厘米
清宮造辦處
清宮舊藏

**Gilt-copper simplified astrolabe made by
the imperial order**
Made by the Workshops of Qing Court
20th year of Kangxi's reign,
Qing Dynasty (1681)
Astrolabe diameter: 32.1cm
Qing Court Collection

康熙御製的簡平儀共分三重，上重為北
地平盤，外刻十二月份，每月30°，次內刻
十二時辰，盤中心為北極盤和時刻盤。中
重為天盤，其一面為北極恒星盤，上刻陰
曆日、赤道十二宮、周天360°、二十四節
氣名稱、赤經綫、黃道、銀河系，沿赤道所
刻星象按二十八宿劃分，並按一至六星
等來標注。天盤的另一面為赤道南極恒
星盤，除星象圖有變化外，其餘與北恒星
盤大致相同。下重盤為南地平盤，盤心象
徵着南極。中心設時刻盤、設大游標、盤
面還刻有更綫、節氣綫、日出沒綫等。簡
平儀上端附有提環。

因簡平儀未設置窺管，無法進行實測，只
起演示作用。

此儀北地平盤上端鎸刻"簡平儀"，下端
鎸刻"康熙二十年歲在辛酉仲夏御製"銘
文。

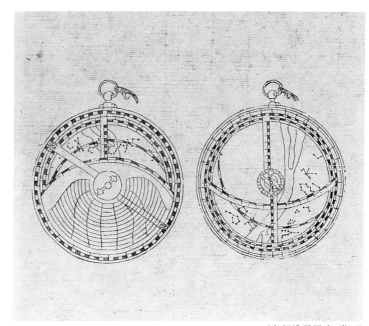

《皇朝禮器圖式·卷三》

47

御製銀鍍金簡平地平合璧儀

清康熙三十年 （1691）

邊長25.7厘米　高5.5厘米

清宮造辦處

清宮舊藏

Gilt-silver allied instruments put together in a square case made by the imperial order
Made by the Workshops of Qing Court
30th year of Kangxi's reign,
Qing Dynasty (1691)
Side length: 25.7cm　Height: 5.5cm
Qing Court Collection

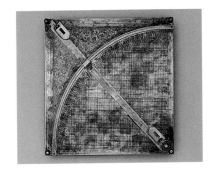

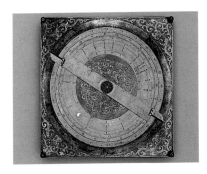

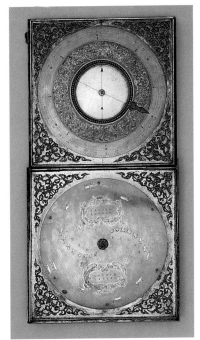

簡平地平合璧儀是由六件不同儀器組成的方盒式套裝的儀器，分別嵌在六隻銀鍍金方盤內，再由合頁將六隻方盤依次重疊連接為一體。第一重盤為三辰公晷儀，第二重盤為時刻度分盤，第三重盤為羅盤儀，第四重盤為地平儀，第五重盤為簡平儀，第六重盤為象限儀。

合璧儀內附有算籌、測度綫、鉛筆、黑板、象牙紙、星宿度説明冊等物。依儀器尺度及所備用物而論，應是康熙在學習天文算學中近距離實測的專用之物。

合璧儀鑴刻有"大清康熙癸酉清和月"。

第 四 重　　　第 一 重

第 五 重　　　第 二 重

第 六 重　　　第 三 重

《皇朝禮器圖式·卷三》

看朔望入交儀

清乾隆九年（1744）

通長68.4厘米　寬25.2厘米　高12厘米

清宮造辦處

清宮舊藏

**An instrument for demonstrating the solar
eclipse and the lunar eclipse**
Made by the Workshops of Qing Court
9th year of Qianlong's reign, Qing Dynasty
Overall length: 68.4cm
Width: 25.2cm　Height: 12cm
Qing Court Collection

朔望入交儀是專用於演示日蝕、月蝕的儀器，底層設黃道，上刻15°
30'，即十五天半，並附可移動的地影盤。中層為白道，其刻度同黃道，
上安設月體模型。最上為時刻表，表首端置太陽體模型，尾端設直表。

用入交儀演示日蝕現象，使時刻表連同表首端的太陽體在座架的黃道
上左右移動，視太陽體被下層白道遮蔽的位置便出現了"日全蝕、日環
蝕、日偏蝕"等不同的日蝕現象，與此同時，時刻表也直接反映出各日
蝕現象的時間。

用入交儀演示月蝕現象，先將時刻表中心對正白道不動，再將黃道盤
上的地影盤固定在白道上月亮模型下面，依前法使白道在儀座的南北
移動，視白道上的月體被下層圓盤地影遮蔽的情景，則可演示出月全
蝕、月偏蝕的現象，此時時刻表尾端的直表也指出了發生月全蝕、月偏
蝕的時間。

銅鍍金星象插屏

清道光
通高101厘米　星盤直徑60厘米
清宮造辦處
清宮舊藏

Gilt-copper table plaques with the map of
configuration of the stars
Made by the Workshops of Qing Court
Daoguang period, Qing Dynasty
Overall height: 101cm
Astrolabe diameter: 60cm
Qing Court Collection

星象插屏是用星象圖製成的一對插屏式工藝品。一件是赤道北極恆星
圖；另一件是赤道南恆星圖。

星象圖是古人用圖形的方式對所觀測的星象的記錄。它的價值在於可
使後人依不同時期的星圖研究星象運動的規律。清代的測時，大都是
用測中星法或測中天附近恆星的時角法，因此星象運動的狀況對清人
來講格外重要，星象的繪製也就備受重視。

銅鍍金星象插屏

清道光
通高101厘米　星盤直徑60厘米
清宮造辦處
清宮舊藏

**Gilt-copper table plaques with the map
of configuration of the stars**
Made by the Workshops of Qing Court
Daoguang period, Qing Dynasty
Overall height: 101cm
Astrolabe diameter: 60cm
Qing Court Collection

圓形的星象插屏採用赤道坐標，從外至內依次刻畫周天360°，赤道十二宮，盤中北極恆象的星象是按三垣、二十八宿的方法構成的，並標注一至六星等。

清代欽天監內最後一個任職的葡萄牙傳教士高守謙於道光六年（1826）告病回國，而這對星象插屏是據道光晚期編纂的《儀象考成續編》中天象記載刻畫的，它從側面反映了在無西洋天文學官員參與下清廷對近代天文學研究的水平。

數學類

*Instruments for
Mathematics*

故宮博物院收藏的數學類儀器基本上是17世紀前後或由傳教士從歐洲攜來直接進獻給康熙皇帝，或受其影響在宮內製作而留存下來的。它們大致可分度量儀器與計算儀器兩大類。

度量儀器主要有算尺、比例尺、分厘尺、角尺、矩尺等。

分厘尺是一種精確度可達千分之一尺長的量尺。

角尺是一種量角器。因每個尺上都有"康熙御製"字樣，又稱"康熙角尺"。

矩尺是測定直角的尺了。藏品中有巴黎製造的，也有清宮自製的。

比例尺是繪圖時用來度量比例長度的一種工具，其刻度是按長度單位縮小或放大若干倍後刻成的，清宮收藏有不同質地的比例尺。

計算儀器主要有比例規、假數尺、算籌、計算機等。

比例規是意大利科學家伽俐略 (Galileo Galilei, 1564－1642年) 於1597年發明的計算工具，它用能開合的兩把帶刻度的直尺，通過比例相似原理進行計算，在17世紀初的歐洲很流行，並很快傳入中國。故宮博物院收藏這種比例規較多，有的上面還刻有拉丁文，當是西方傳來的原物。

假數尺。假數即對數，假數尺是在做乘除開方運算時的一種簡便工具，最早是由英國數學家甘特 (E·Gunter, 1581－1626年) 在1620年發明的，是在一根直尺上刻真數、正弦及正切的對數值，根據對數原理將乘除化為加減進行運算。故宮所藏的計算尺有早期甘特型單尺，也有由兩把尺組成的套尺，還有在一尺上加滑動尺的等多種，都是18世紀前後由清宮自製或由傳教士攜入宮廷的。

算籌。17世紀初，英國數學家納白爾 (John NaPier, 1550－1617年) 發明的一種用於乘除計算的工具，於明末傳入中國。它所根據的原理是15世紀時流行於歐洲的"寫算"，即在一些長條形的板片上刻寫數碼，可根據需要對起來進行乘、除、乘方、開方運算。目前故宮博物院藏有多套不同質地的納白爾算籌，但帶有乘方、開方的算籌保留的已不完整了。

手搖計算機。法國科學家巴斯加 (Blaise Pas-cal, 1623－1662年) 於1642年製造了第一台手搖計算機，通過計算機裏面的齒輪進位進行計算。18世紀前後，清宮亦開始製造手搖計算機，有盤式和籌式兩種。盤式計算機為仿巴斯加計算機，由齒輪帶動盤上數字進行計算，它不僅能計算加減法，也能計算乘除法；如結合平方、立方表，還可進行較複雜的運算。籌式計算機的內部結構和原理都是依據豎式納白爾籌設計的。它因使用納白爾籌，所以不僅能做乘除法，而且也能進行平方、立方、開平方及開立方運算。

故宮收藏的數學類文物，還有一些屬數學教具，如立體幾何體模型，康熙御用數學桌等。

另外，為配合計算儀器的使用，還特製了一批精巧的數學用表。這些裝幀精緻的數表包括《御製數表精詳》、《對數廣運》、《方寸數目》、拉丁文的《正弦、正切正割以及對數》等。在《正弦、正切正割以及對數》中已經正確地使用了小數點。

竹比例尺

清康熙

長32厘米　圓徑0.7厘米

清宮造辦處

清宮舊藏

Bamboo scale
Made by the Workshops of Qing Court
Kangxi period, Qing Dynasty
Length: 32cm　Diameter: 0.7cm
Qing Court Collection

比例尺是用來計量長度的一種工具,其刻度是按長度單位縮小或放大若干倍後刻成的,常見的有三棱比例尺,三個側面上刻六行不同比例的刻度。

這份竹比例尺共有四根,呈圓棍形,是據1米等於3清尺,1清尺等於32厘米,按1:10的比例製成的比例尺。每尺分十大格,每格長3.2厘米;每大格內又細分十小格,則每一大格可代表實際測量中的1米。

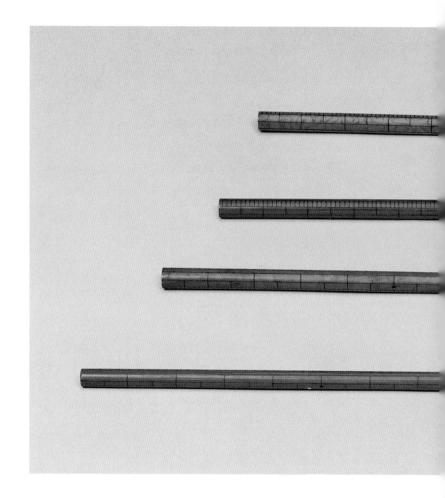

玉比例尺

清康熙

長19厘米　寬2.1厘米　厚0.6厘米

清宮造辦處

清宮舊藏

Jade scale
Made by the Workshops of Qing Court
Kangxi period, Qing Dynasty
Length: 19cm　Width: 2.1cm
Thickness: 0.6cm
Qing Court Collection

這件比例尺為碧玉質,尺面分成六格,每格長3.3厘米,內又分十小格,每格長0.3厘米。

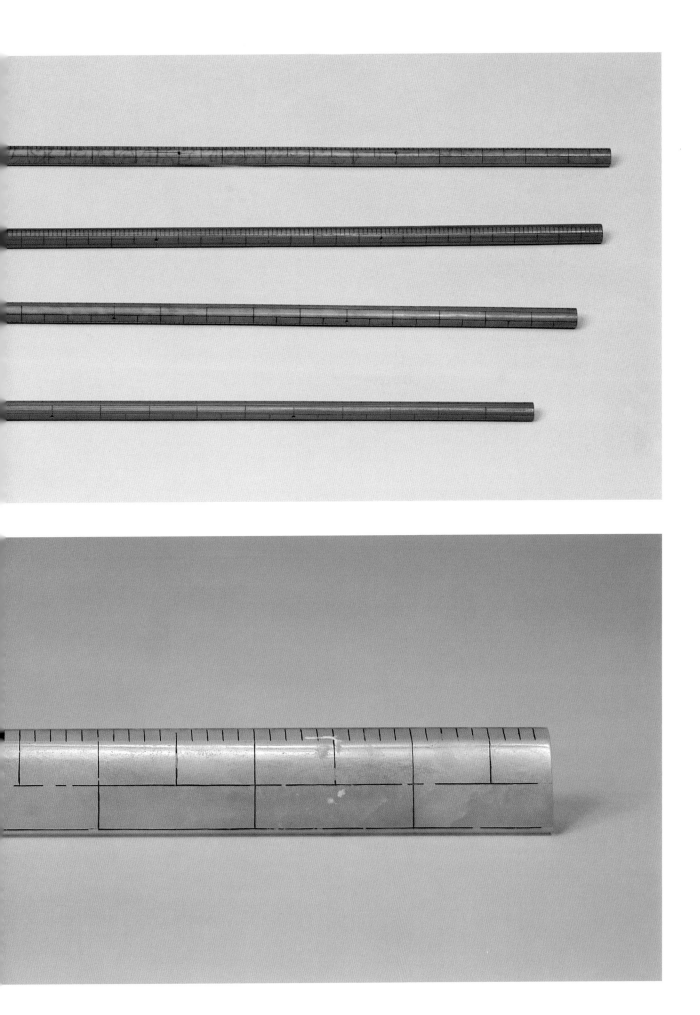

象牙分厘尺

清康熙
長16.8厘米　寬2.8厘米　厚0.5厘米
清宮造辦處
清宮舊藏

Ivory ruler with 0.01 and 0.001 lines
Made by the Workshops of Qing Court
Kangxi period, Qing Dynasty
Length: 16.8cm　Width: 2.8cm
Thickness: 0.5cm
Qing Court Collection

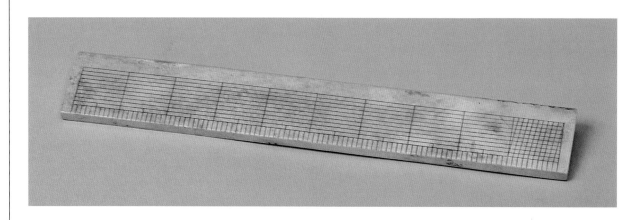

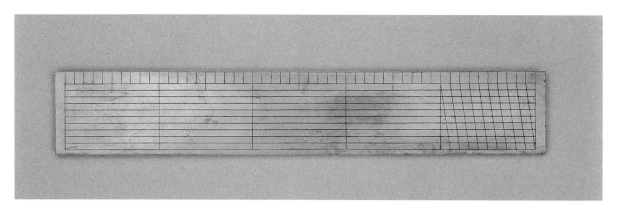

這是件象牙質分厘尺。

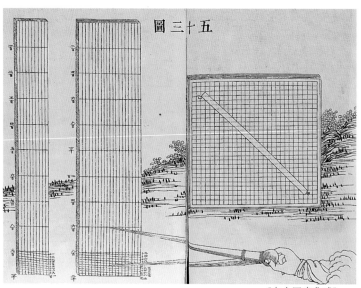

《古今圖書集成》

銅鍍金分厘尺

清康熙
長22.5厘米　寬2.5厘米　厚0.2厘米
清宮造辦處
清宮舊藏

Gilt-copper ruler with 0.01 and 0.001 lines
Made by the Workshops of Qing Court
Kangxi period, Qing Dynasty
Length: 22.5cm　Width: 2.5cm
Thickness: 0.2cm
Qing Court Collection

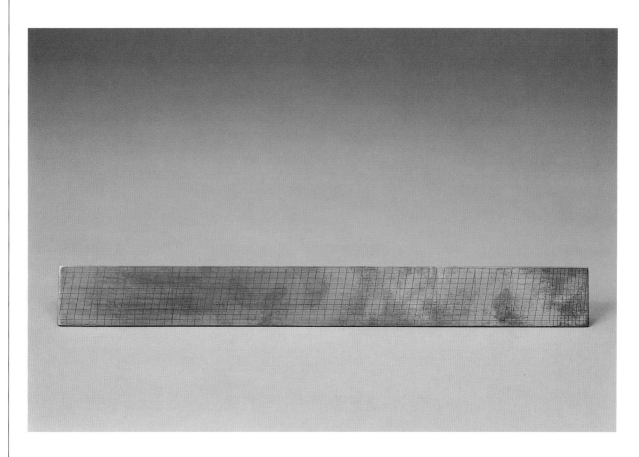

這件分厘尺將尺面分成七大格，每大格
中分為二格，內又分為十小格，尺最後一
格處畫有分厘綫，其精確度可達到尺長
的千分之一。

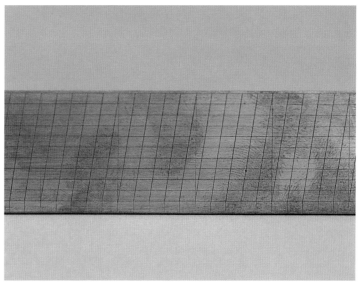

55

銅鍍金雕鏤空紋分厘尺

清康熙
長42.3厘米　寬3.8厘米　厚0.3厘米
清宮造辦處
清宮舊藏

**Gilt-copper ruler with 0.01 and 0.001
lines in open work**
Made by the Workshops of Qing Court
Kangxi period, Qing Dynasty
Length: 42.3cm　Width: 3.8cm
Thickness: 0.3cm
Qing Court Collection

這件分厘尺雕有鏤空紋飾，面上分刻十
大格，每格邊處刻有阿拉伯數字10、20
……90，每條分厘綫下刻有1到10的數
字。

56

銅鍍金綜合算尺

清康熙
長15.3厘米　寬4.9厘米　厚0.2厘米
清宮造辦處
清宮舊藏

Gilt-copper comprehensive slide ruler
Made by the Workshops of
Qing Court
Kangxi period, Qing Dynasty
Length: 15.3cm　Width: 4.9cm
Thickness: 0.2cm
Qing Court Collection

這件綜合算尺是一既可繪圖又可測量的
工具。它的一面分上、下兩種尺度，上側
為分厘尺，下側刻有三角函數名稱及刻
度。它的另一面四周是刻有二層刻度的
量角器。中間是一個比例縮尺，如將一條
綫段的長度擴大或縮小，通過比例縮尺
即可畫出所需的綫段。

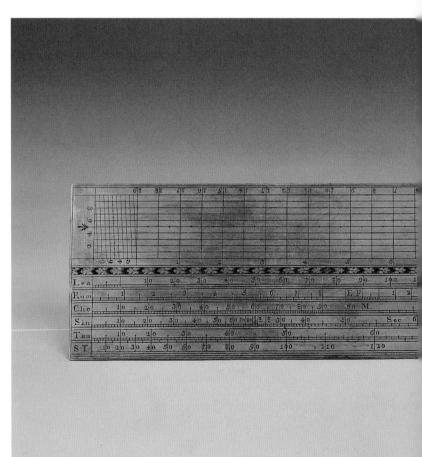

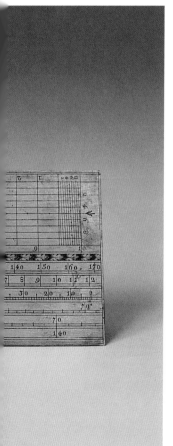

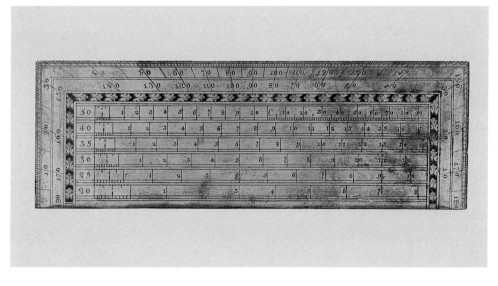

銅鍍金摺叠矩尺

17世紀

長17厘米　寬2厘米　厚0.5厘米

法國巴黎

清宮舊藏

Gilt-copper folding carpenter's square
Made in Paris, France
17th century
Length: 17cm　Width: 2cm
Thickness: 0.5cm
Qing Court Collection

"矩"就是木工用以量直角的兩臂曲尺，是中國古代重要的測量工具之一。漢代以前的矩兩臂等長且無刻度，漢代以後的矩兩臂一長一短並有了刻度。

矩尺在世界上使用很普遍，這件矩尺是由西方傳教士帶進清宮的。尺邊上有刻度，兩面均刻有花體法文字，有"巴黎製造"、"皇家的半尺"及人名"巴特費爾特"等字樣。"皇家的半尺"即法國的標準尺。

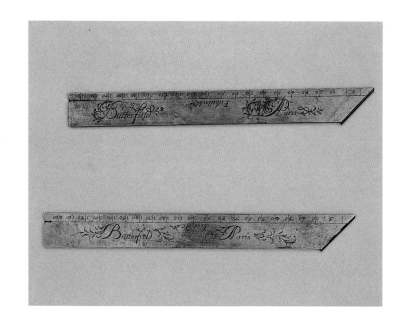

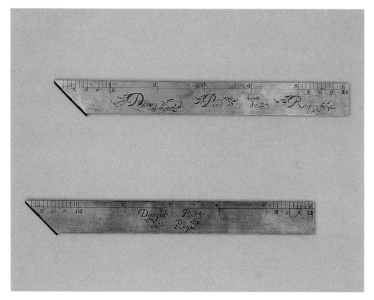

銅鍍金摺叠矩尺

清康熙
長17.5厘米　寬2.7厘米　厚0.3厘米
清宮造辦處
清宮舊藏

Gilt-copper folding carpenter's square
Made by the Workshops of Qing Court
Kangxi period, Qing Dynasty
Length: 17.5cm　Width: 2.7cm
Thickness: 0.3cm
Qing Court Collection

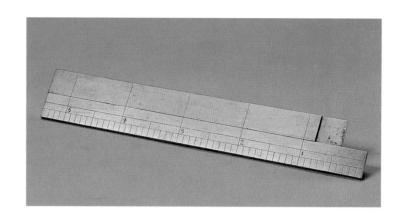

這是一件可摺叠的矩尺，尺面上未刻銘文，但刻度及尺長與清代營造尺度相同，刻度由阿拉伯數字標示，推測應是由清宮造辦處製造的。

銅鍍金平行尺

清康熙
長19.1厘米　寬3.8厘米　厚0.3厘米
清宮造辦處
清宮舊藏

Gilt-copper parallel ruler
Made by the Workshops of Qing Court
Kangxi period, Qing Dynasty
Length: 19.1cm　Width: 3.8cm
Thickness: 0.3cm
Qing Court Collection

平行尺是做平行綫的工具，它用活動樞鈕將兩對等長的尺相連，兩兩
相對，成平行四邊形。使用時先將一尺對準原綫壓住，再將另一尺對準
所作綫之點，即可隨尺作平行綫。

銀質康熙角尺

清康熙
長33.6厘米　厚0.4厘米　半圓直徑16厘米
清宮造辦處
清宮舊藏

**Silver angle square with the mark
"Kangxi Yuzhi"**
Made by the Workshops of Qing Court
Kangxi period, Qing Dynasty
Length: 33.6cm　Thickness: 0.4cm
Semicircle: 16cm
Qing Court Collection

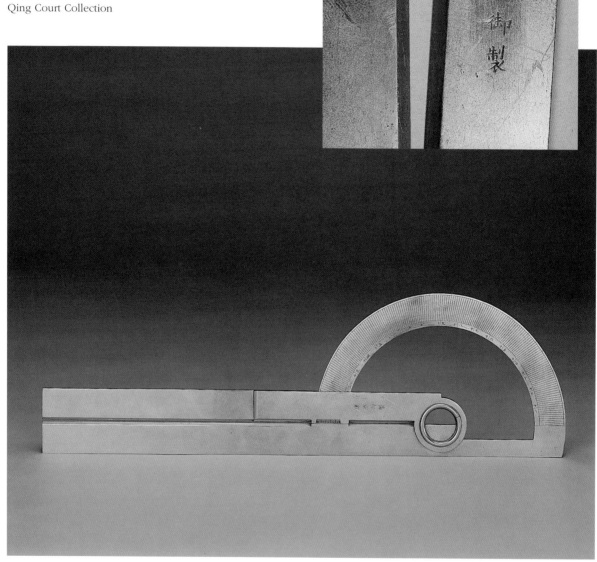

角尺是一種量角器。它在一個半圓弧的中心安裝一個能在半圓弧上自由滑動的尺，半圓弧上的刻度用漢字表示。使用時將滑動的尺對準半圓上的刻度可測量角度。因尺上常鐫刻有"康熙御製"四字，一般又稱"康熙角尺"。

銀鍍金康熙角尺

清康熙

長22厘米　厚0.3厘米　半圓直徑10.2厘米

清宮造辦處

清宮舊藏

Gilt-silver angle square with the mark "Kangxi Yuzhi"
Made by the Workshops of Qing Court
Kangxi period, Qing Dynasty
Length: 22cm　Thickness: 0.3cm
Semicircle diameter: 10.2cm
Qing Court Collection

這件康熙角尺的尺寸與前件不同，但結構與功能完全相同。

銅鍍金半圓儀

17世紀

高7.5厘米　厚0.1厘米　半圓直徑6厘米

法國巴黎

清宮舊藏

Gilt-copper semi-circle protractor
Made in Paris, France
17th century
Height: 7.5cm　Thickness: 0.1cm
Semicircle Diameter: 6cm
Qing Court Collection

半圓儀是作圖時量角與畫角的工具，在清代稱作"半圓分角器"。這件半圓儀周面自右至左、自左至右刻二層１８０°，並刻有法文款"CHAPOTOT A PARIS"。

游標卡尺

清康熙
長46.5厘米　厚0.5厘米
清宮造辦處
清宮舊藏

Vernier caliper
Made by the Workshops of Qing Court
Kangxi period, Qing Dynasty
Length: 46.5cm　Thickness: 0.5cm
Qing Court Collection

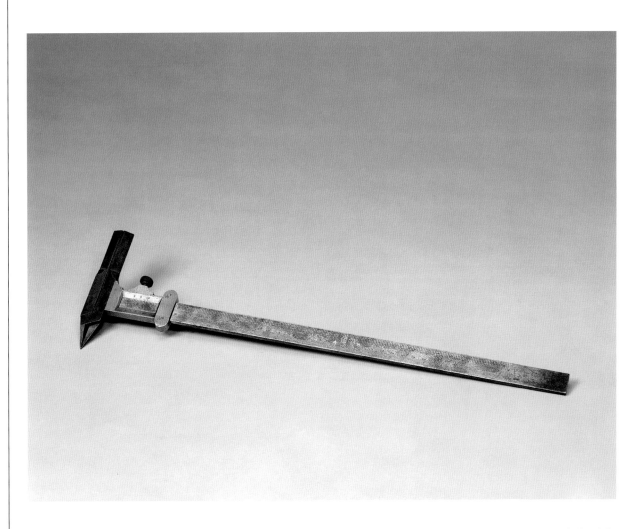

游標卡尺是游標量具中的一種，可用於測量直徑、板厚、深度等。這件尺上刻有漢字"一尺二寸"、阿拉伯數字"38厘米"字樣。它最基本的特點是有一把與一般尺刻度相同的主尺，還有一把與一般尺刻度不同的副尺。主尺的刻度與普通的米制尺一樣，1尺分成10分米，1厘米分成十小格，每格1毫米。副尺上刻有二個精確讀數，各是"1／20分"、"1/20 mm"字樣。游標原理是利用主副尺刻綫間距的等差將刻度進行細分，可使讀數精度提高1－2個數量級。此件游標卡尺的精確度可達0.02毫米。

游標卡尺是法國數學家皮爾·維尼爾於1631年發明的。這件尺上的中、西兩種文字表明，此尺應是在游標卡尺傳入中國後由清宮仿製的。

伽俐略比例規

17世紀
長20.8厘米　寬3.6厘米　厚0.5厘米
意大利
清宮舊藏

Galilean proportional gauge
Made in Italy
17th century
Length: 20.8cm　Width: 3.6cm
Thickness: 0.5cm
Qing Court Collection

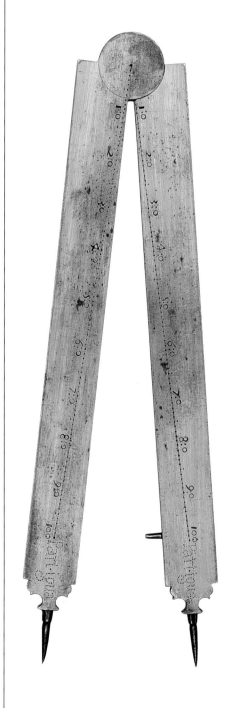

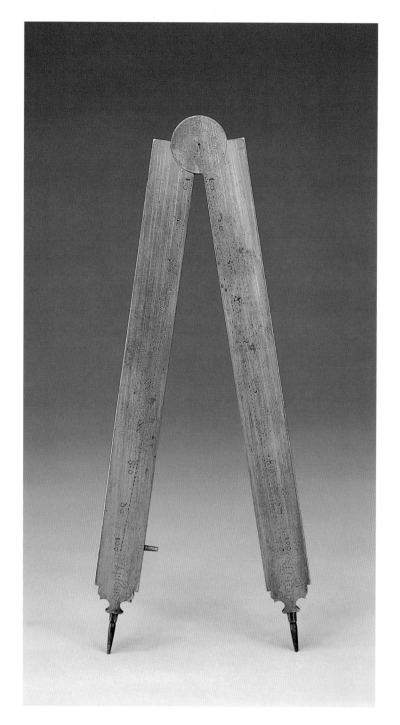

比例規是一種計算工具，意大利科學家伽俐略於16世紀末最早開始使用，因此也稱為"伽俐略比例規"。意大利傳教士羅雅谷於明末崇禎年間著《比例規解》，將比例規介紹到中國。

比例規的外形頗似圓規，有尖腳、平腳兩種，它是利用相似三角形對應邊成比例的原理製成，可以用來進行乘、除、求比例中項、開平方、開立方、求比重等各種計算。

這件比例規上鐫刻有西文 "Corda, Fartigua"。

銅鍍金刻平分綫比例規

清康熙

長17.8厘米　寬4.4厘米　厚0.4厘米

清宮造辦處

清宮舊藏

Gilt-copper proportional gauge engraved with bisector
Made by the Workshops of Qing Court
Kangxi period, Qing Dynasty
Length: 17.8cm　Width: 4.4cm
Thickness: 0.4cm
Qing Court Collection

《崇禎曆書》

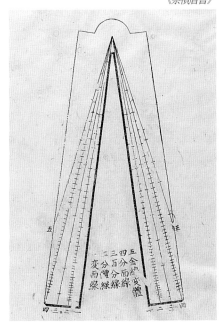

這是一件平腳式比例規。在兩臂上刻有平分綫、分面綫、分圓面、分圓度、分體綫、五金綫等六種規度，可計算一般比例式中的數值、相似形的面積、體積及金銀銅鐵錫五種金屬體的輕重等。

銅鍍金刻五金綫比例規

清康熙
長17.5厘米　寬3.1厘米　厚0.4厘米
清宮造辦處
清宮舊藏

Gilt-copper proportional gauge with symbols
for showing the five metals
Made by the Workshops of Qing Court
Kangxi period, Qing Dynasty
Length: 17.5cm　Width: 3.1cm
Thickness: 0.4cm
Qing Court Collection

此件比例規兩臂上刻有平分綫、分體綫、分面綫、分圓綫、五金綫等是用各種符號，以表示鉛、銀、銅、鐵、錫。

清宮當年為保管方便，為這些計算工具都配以匣盒，黏掛標有編號和來源的黃籤，但隨着歲月流失，這些珍貴的資料大都不復存在。這件比例規尚保留一個黃綢做成的木盒，盒面上貼有黃籤"銅比例尺一等十五號"字樣。從它被編排的等級和序號上可以想見當年清宮中曾擁有何等多的計算工具。從這一點也可得知康熙皇帝對數學的濃厚興趣以及他為數學發展所投入的巨大精力。

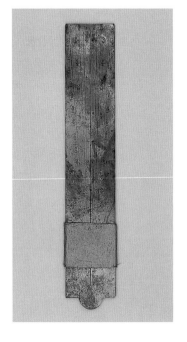
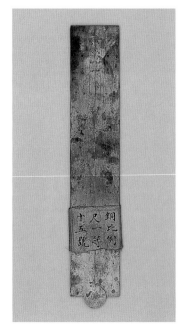

銅鍍金刻分體綫比例規

清康熙
長17.5厘米　寬3厘米　厚0.4厘米
清宮造辦處
清宮舊藏

Gilt-copper proportional gauge
Made by the Workshops of Qing Court
Kangxi period, Qing Dynasty
Length: 17.5cm　Width: 3cm
Thickness: 0.4cm
Qing Court Collection

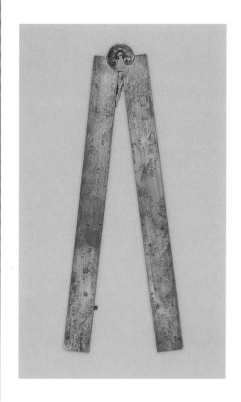

這件比例規是平腳式，在兩臂上刻寫平
分綫、分圓綫、變面綫、分體綫、分面綫、
五金綫等六種規度，規度均用阿拉伯數
字表示。比例規二臂可任意張合，當兩臂
成180°時成一直尺。

銅鍍金帶半圓儀比例規

清康熙
長25.2厘米　寬4.1厘米　厚0.4厘米
清宮造辦處
清宮舊藏

**Gilt-copper proportional gauge with a
semi-circle protractor**
Made by the Workshops of Qing Court
Kangxi period, Qing Dynasty
Length: 25.2cm　Width: 4.1cm
Thickness: 0.4cm
Qing Court Collection

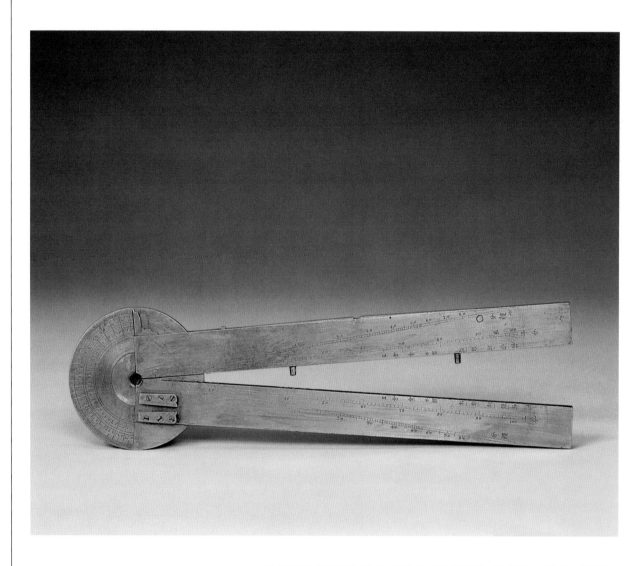

比例規用半圓儀作樞心，兩臂上刻有分體綫、平分綫、五金綫、分圓綫、
分面綫等中文字及羅馬數字，不但可用來計算綫段比例、面積、體積
等，還可用來量角。

銅鍍金比例規
17世紀
長17.5厘米　寬4厘米　厚0.5厘米
法國巴黎
清宮舊藏

Gilt-copper proportional gauge
Made in Paris, France
17th century
Length: 17.5cm　Width: 4cm
Thickness: 0.5cm
Qing Court Collection

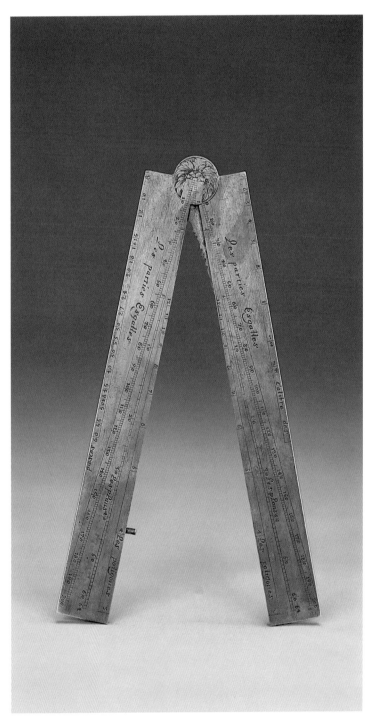

這件比例規上的文字均用法文刻寫，其
刻度用阿拉伯字碼表示。比例規兩臂上
刻有“繩索”、“量徑綫儀器”、“平面”、
“角”、“等矩部分”之意，還有用符號代替
的五金綫等。比例規上鎸刻法文款“N·
BION·A·PARIS”。

銅鍍金尖腳比例規

17世紀

長14.3厘米　寬2.8厘米　厚0.4厘米

歐洲

清宮舊藏

Gilt-copper proportional gauge with pointed stands
Made in Europe
17th century
Length: 14.3cm　Width: 2.8cm
Thickness: 0.4cm
Qing Court Collection

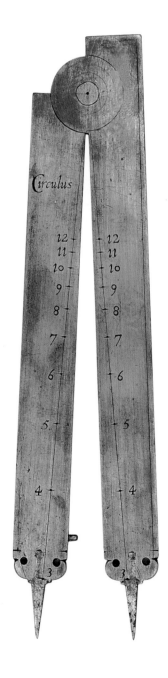

這件比例規為尖腳式，可自由摺叠，全部
打開成一直角。兩臂上刻有拉丁文。

銅鍍金刻幾何體比例規

清康熙

長33.3厘米　寬6.2厘米　厚0.7厘米

清宮造辦處

清宮舊藏

Gilt-copper proportional gauge with Chinese characters for geometric polyhedrons
Made by the Workshops of Qing Court
Kangxi period, Qing Dynasty
Length: 33.3cm　Width: 6.2cm
Thickness: 0.7cm
Qing Court Collection

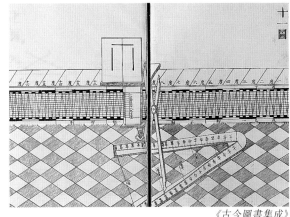

《古今圖書集成》

這件比例規兩臂上刻有漢字"十二面體、二十面體、見方體、圓球、八面體、圓面、四方體、更面體、切綫、分圓、分體、五金、球內各體"以及平分、正弦、分面等不同的刻度。

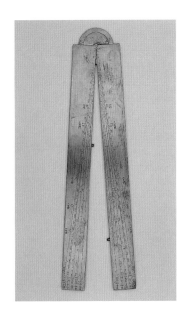
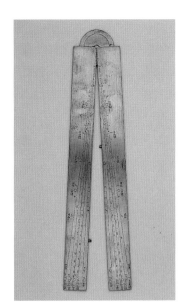

銅鍍金刻比重表比例規
18世紀
長17.7厘米　寬5.1厘米　厚0.1厘米
英國
清宮舊藏

**Gilt-copper proportional gauge
with gravimeter**
Made in England
18th century
Length: 17.7cm　Width: 5.1cm
Thickness: 0.1cm
Qing Court Collection

這件比例規的兩臂內側為橢圓弧形，是專為測量球徑而特製的。

此比例規用圓作軸心，一面為刻有0°到180°的半圓儀及1到10的英寸刻度，另一面刻有英寸的幾何體圖形，可求體積。兩臂上的各種標識全部用英文刻寫，有金、銀、銅、鉛、鐵、錫、鉻、溴、水、蠟等各種金屬的名稱及不同密度的比重，還有Name of Guns（槍的名字）、The weight of a GubeFoot In（槍管的重量）、Service（服務）、Shot（射程）、Proof（證明）等專用名稱。從這些名稱上推斷，應與求槍彈的比重和重量有關。

這是一件英德文對照的比例規，兩臂上鐫刻有德文款"B Scott Fccit"。

黑漆木匣測算套尺

清康熙

木匣長34.5厘米　寬7.5厘米

清宮造辦處

清宮舊藏

**Black lacquer box containing a set
of slide rulers**
Made by the Workshops of Qing Court
Kangxi period, Qing Dynasty
Length: 34.5cm　Width: 7.5cm
Gilt-copper proportional gauge
Length: 32.6cm　Width: 6cm
Thickness: 0.4cm
Gilt-copper ruler with 0.01and 0.001 lines
Length: 32cm　Width: 2.2cm
Thickness: 0.3cm
Ivory scale
Length: 32cm Diameter:0.5cm
Qing Court Collection

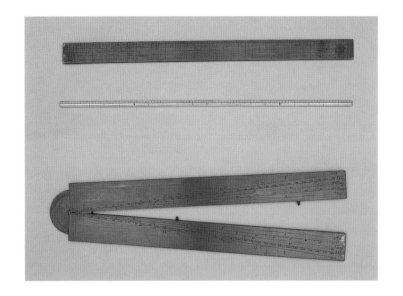

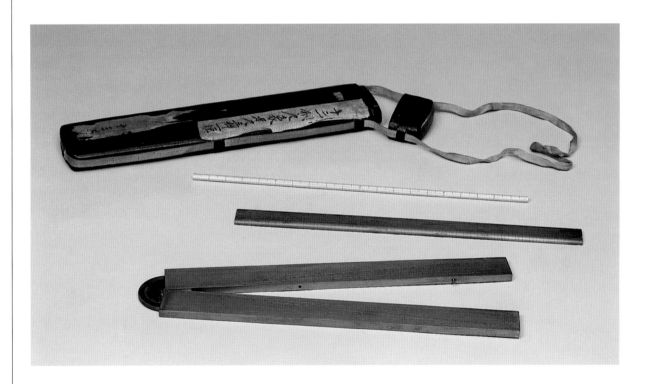

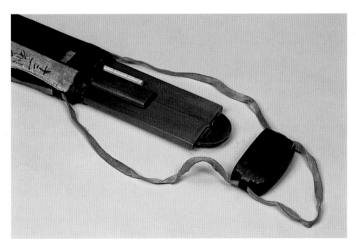

這套測算工具放在黑漆木匣裏,內有銅鍍金
比例規一件,長32.6厘米、寬6厘米、厚0.4厘
米;銅鍍金分厘尺一件,長32厘米、寬2.2厘
米、厚0.3厘米;象牙比例尺一件,長32厘米、
圓徑0.5厘米。盒面上貼有白條"十三銅尺象
牙尺三件一匣"字樣。套匣附有黃縚絲帶。

象牙假數尺

清康熙

長35厘米　寬4厘米　厚0.5厘米

清宮造辦處

清宮舊藏

Ivory logarithmic scale
Made by the Workshops of Qing Court
Kangxi period, Qing Dynasty
Length: 35cm　Width: 4cm
Thickness: 0.5cm
Qing Court Collection

假數尺又稱對數計算尺,是利用對數原理製成的簡便的計算工具,最早是由英國數學家甘特發明的。這件尺屬早期甘特型計算尺,是計算尺傳入中國後由清宮自製的中國最早的計算尺之一。在尺面上刻有一到一百的漢字對數值(即假數)。依據刻成的數值及對數原理,輔以量規可進行加減代乘除的計算。

這件假數尺上套有清宮當年拴掛的黃籤,上寫"象牙假數尺一等二十八號"字樣。

象牙刻正弦切綫假數尺

清康熙

長35厘米　寬4.2厘米　厚0.5厘米

清宮造辦處

清宮舊藏

Ivory logarithmic scale carved with sine and tangent
Made by the Workshops of Qing Court
Kangxi period, Qing Dynasty
Length: 35cm　Width: 4.2cm
Thickness: 0.5cm
Qing Court Collection

這件假數尺有二面,一面刻有1°到90°的正弦假數,另一面刻有1°到45°與45°到19°正切假數。尺上面的刻度數均用漢字表示。

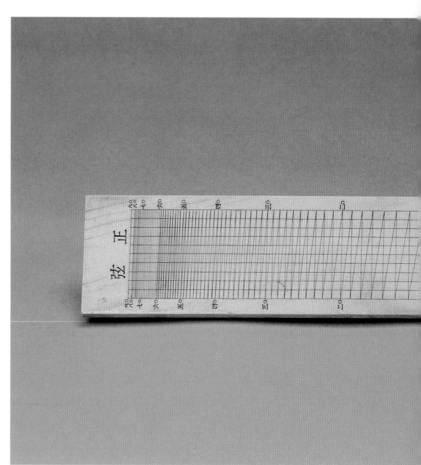

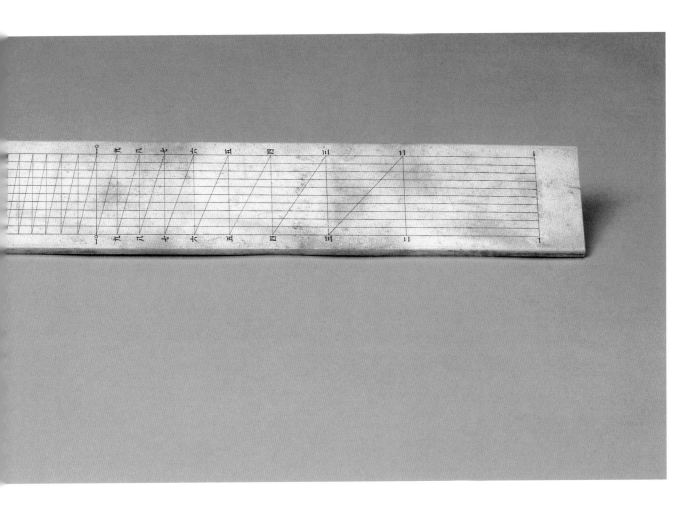

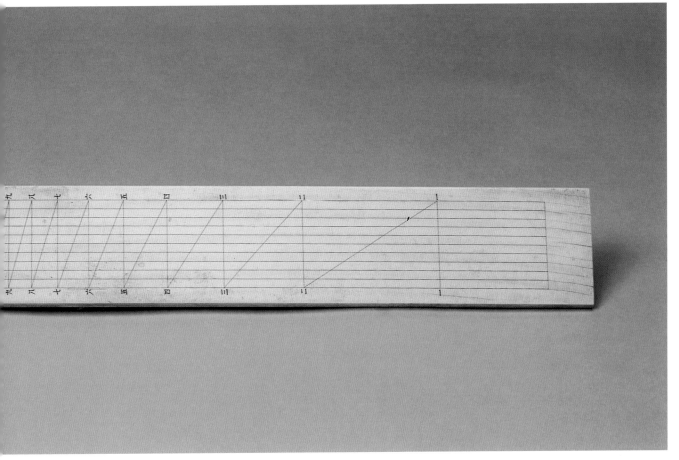

銅鍍金摺叠假數尺

清康熙

長34厘米　寬3.8厘米　厚0.2厘米

清宮造辦處

清宮舊藏

Folding logarithmic scale of gilt copper
Made by the Workshops of Qing Court
Kangxi period, Qing Dynasty
Length: 34cm　Width: 3.8cm
Thickness: 0.2cm
Qing Court Collection

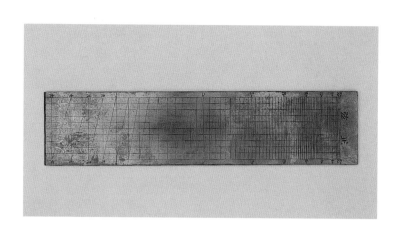

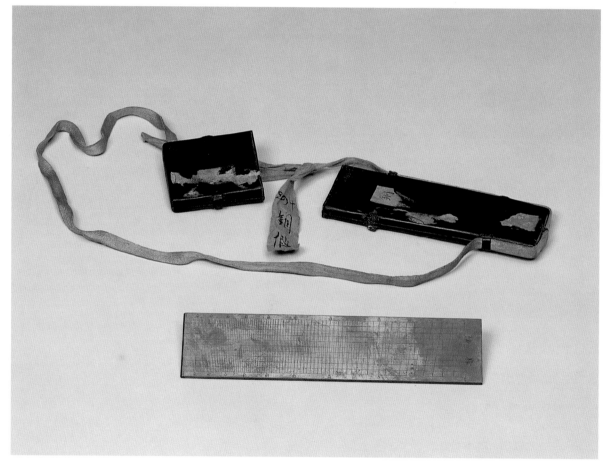

這是一件可摺叠的綜合性假數尺，尺面上分別刻有正弦、切綫和假數，
其中正弦尺上刻有6°到90°正弦值，切綫尺上面刻有6°到45°切綫值，
45°到84°切綫值，假數尺上刻有十到一百的對數值，尺上的刻度均用
漢字表示。

包銀帶滑標假數尺

清中期

長35厘米　寬7.3厘米　厚0.5厘米

清宮造辦處

清宮舊藏

Logarithmic scale with vernier coated with silver
Made by the Workshops of Qing Court
The Mid-Qing Dynasty
Length: 35cm　Width: 7.3cm
Thickness: 0.5cm
Qing Court Collection

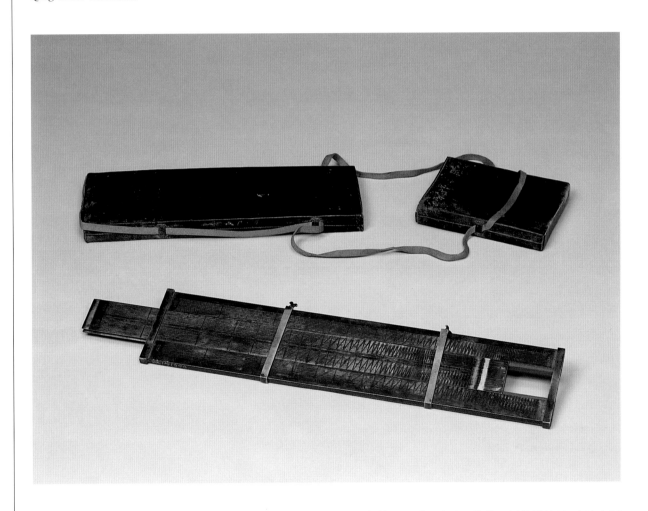

這是一件在甘特型計算尺基礎上改進了的帶滑標的計算尺,由清宮製造。

這件假數尺由三部分組成,上下固定的為尺身,稱作"固定尺",中間可以左右滑動的稱作"滑尺",在固定尺上有可以左右移動的"滑標"。其中固定尺的一面刻有一到一百的對數值,另一面刻有1°到90°的正弦值,1°到45°的切綫值,這些數值均用漢字表示。

虬角質納白爾算籌

清康熙

長8.3厘米　寬1.4厘米　厚0.3厘米

清宮造辦處

清宮舊藏

Napier's countingrod of young dragon's horn
Made by the Workshops of Qing Court
Kangxi period, Qing Dynasty
Length: 8.3cm　Width: 1.4cm
Thickness: 0.3cm
Qing Court Collection

明末清初西洋算籌傳入中國。這種計算工具因英國數學家納白爾曾著書介紹，故又稱納白爾算籌。明崇禎三年 (1628) 意大利傳教士羅雅谷著《籌算》一書，是對算籌的第一次系統介紹。

這件虬角質納白爾算籌為豎式斜格式，上刻有典型的宮廷紋飾，由清宮製作。用納白爾算籌可以把乘除法變為加減法，是一種非常簡便的計算工具。

象牙質納白爾算籌

清康熙
長7.1厘米　寬1.3厘米　厚0.1厘米
清宮造辦處
清宮舊藏

Napier's countingrod of ivory
Made by the Workshops of Qing Court
Kangxi period, Qing Dynasty
Length: 7.1cm　Width: 1.3cm
Thickness: 0.1cm
Qing Court Collection

此件納白爾算籌一至九每籌各分九格，每格斜分為二。個位數寫於斜線上角，十位數寫於斜線下角。第一籌正面寫一至九，第二籌寫一至九各數二倍的數，第三到第九各籌中分別寫一至九各數三倍至九倍的數。第一籌的反面與第九籌同，其他籌類此，第五籌的反面為零籌。應用納白爾籌可以把乘除法變為加減法。

象牙質豎式斜格算籌

清康熙
長10.7厘米　寬2.1厘米　厚0.3厘米
清宮造辦處
清宮舊藏

**Vertical ivory countingrod in
oblique lattice style**
Made by the Workshops of Qing Court
Kangxi period, Qing Dynasty
Length: 10.7cm　Width: 2.1cm
Thickness: 0.3cm
Qing Court Collection

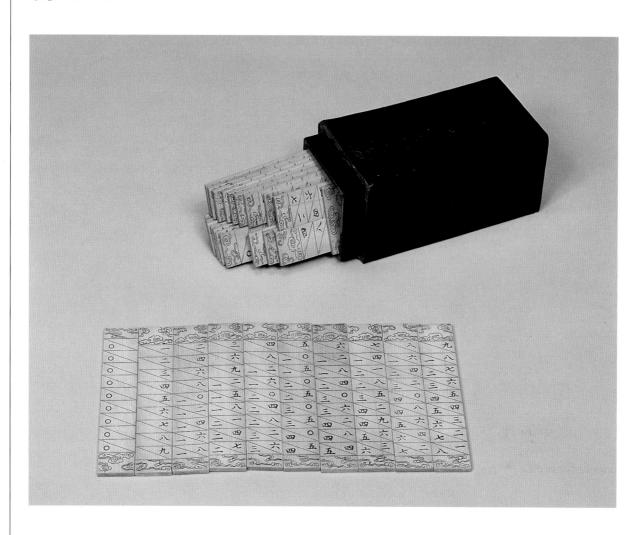

這是納白爾豎式斜格等。這件算籌上下兩處空格裏刻有如意雲紋，是
由清宮造辦處製造的。

象牙質半圓格式算籌

清康熙
長12.8厘米　寬2.2厘米　厚0.3厘米
清宮造辦處
清宮舊藏

Ivory countingrod in semicircular lattice style
Made by the Workshops of Qing Court
Kangxi period, Qing Dynasty
Length: 12.8cm　Width: 2.2cm
Thickness: 0.3cm
Qing Court Collection

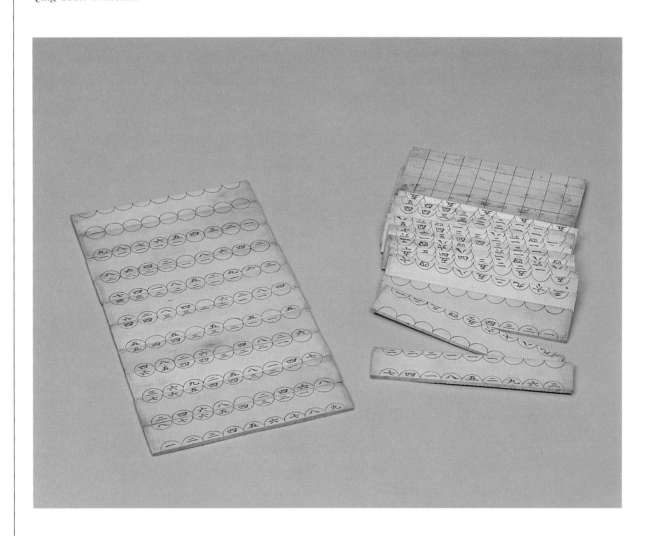

算籌這種計算工具傳入中國後受到中國數學家的關注。中國大數學家梅文鼎（1633－1721年）於1678年把納白爾算籌的斜格改成半圓格或直格式，變豎排為橫排。這是中國獨有的改進，也是中國式納白爾算籌獨有的規格。

銅鍍金盤式手搖計算機

清康熙

長55.5厘米　寬12厘米　高4.8厘米

清宮造辦處

清宮舊藏

Gilt-copper hand calculator with discs
Made by the Workshops of Qing Court
Kangxi period, Qing Dynasty
Length: 55.5cm　Width: 12cm
Height: 4.8cm
Qing Court Collection

這種盤式手搖計算機是法國科學家巴斯加於1642年在巴黎首製成功的，後由傳教士介紹給康熙皇帝，受到康熙皇帝的喜愛。

這件手搖計算機是清宮依巴斯加計算機的原理自製的。利用齒輪裝置可進行加減乘除運算。計算機表面有十個圓盤，表示十位數。每個圓盤分為上盤和下盤，下盤現在圖上看不見，上盤中央刻有拉丁拼音的數位名稱，周圍按逆時針方向刻着由1到9阿拉伯數字，1與9之間有一空格，在空格中安一能上下移動的銅檔片。移動檔片，可以看到下盤兩種刻數的一個數碼。

下盤周圍也分為十格，裏外又分為三圈，其外圈勻佈十個小圓孔，用撥

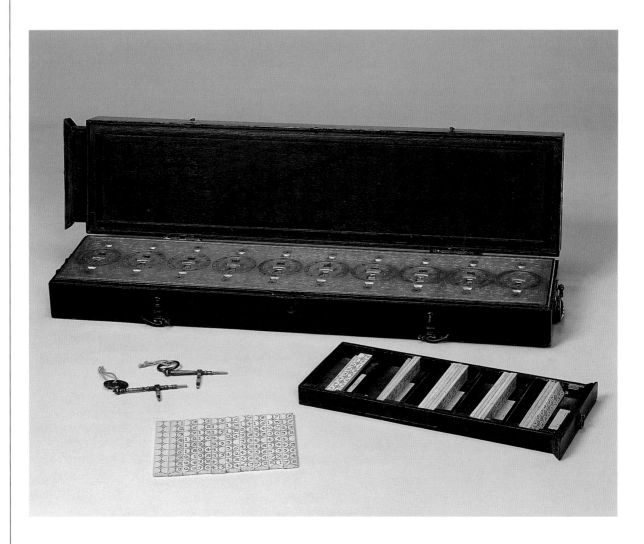

針插入小圓孔，可以按順時針方向轉動下層圓盤。

在下盤的十個圓盤之下各安裝一個十齒的齒輪，下盤轉動，齒輪也隨之轉動。當上盤空格的讀數超過9時，如繼續轉盤，齒輪可帶動左邊的齒輪轉動一格，就使左邊的讀數增加1或減少1。明確地說，按順時針方向轉動下盤，讀其中圈的數碼，可體現進位，中圈的數碼用於加法及乘法，讀其內圈的數碼，可體現退位，適用於減法及除法。

銅鍍金十位盤式手搖計算機

清康熙
長55厘米　寬5.5厘米　高4.8厘米
清宮造辦處
清宮舊藏

**Gilt-copper hand calculator with
discs marking ten figures**
Made by the Workshops of Qing Court
Kangxi period, Qing Dynasty
Length: 55cm　Width: 5.5cm
Height: 4.8cm
Qing Court Collection

這件計算機有十個分成上下兩層的圓盤，即位盤，表示十位數。上盤數
位名稱分別用漢字"拾萬"、"萬"、"仟"、"百"、"十"、"兩"、"錢"、
"分"、"厘"、"毫"標明。

銅鍍金十二位盤式手搖計算機

清康熙
長60厘米　寬12厘米　高4.5厘米
清宮造辦處
清宮舊藏

**Gilt-copper hand calculator with
discs marking twelve figures**
Made by the Workshops of Qing Court
Kangxi period, Qing Dynasty
Length: 60cm　Width: 12cm
Height: 4.5cm
Qing Court Collection

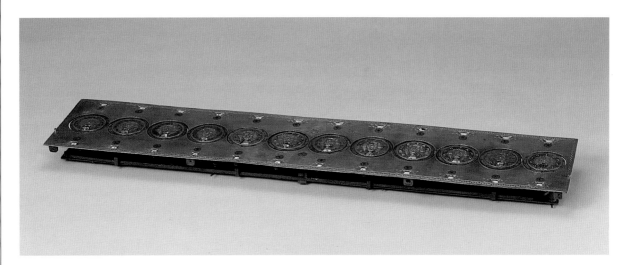

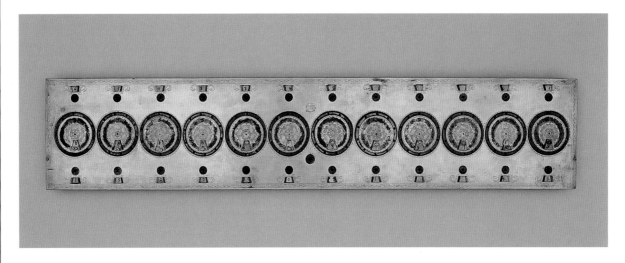

這件計算機有十二個圓盤，表示十二位數，除上盤中央沒有刻數位名
稱外，其餘均同於十位的盤式計算機。

紙籌式手搖計算機

清康熙
長17厘米　寬9厘米　高5厘米
清宮造辦處
清宮舊藏

Hand calculator with paper countingrods
Made by the Workshops of Qing Court
Kangxi period, Qing Dynasty
Length: 17cm　Width: 9cm
Height: 5cm
Qing Court Collection

籌式手搖計算機是清初以納白爾算籌對巴斯加計算機改造而成的另一類計算機。

此件籌式計算機機匣內的算籌由紙製成，它的上面有十一條細縫，通過相鄰的兩條細縫可穿一張畫着中國豎式納白爾算籌的高麗紙，稱為紙籌。因有十一條細縫，可穿十張紙籌，表示十位的數。

在這種計算機裏有上下排列的十對銅軸，每軸的一端有一個六齒的齒輪。上下兩軸的齒輪之間有個中間齒輪。由於中間齒輪的作用，當轉動一個銅軸時，與它成對的另一個銅軸就按相同方向轉動。當用一把鑰

匙轉動一個銅軸時，便將紙籌捲起，而另一軸便將紙籌放開，從而使得紙籌在計算機上左右移動。移動紙籌，以便按照納白爾籌算方法進行運算。

盤式計算機的撥針和籌式計算機的鑰匙都起着搖柄的作用。籌式計算機因其使用納白爾籌，所以不僅能作乘除法，而且也能進行平方、立方、開平方及開立方運算。

銅鍍金納白爾籌式手搖計算機

清康熙
長58厘米　寬12.5厘米　高4.5厘米
清宮造辦處
清宮舊藏

Gilt-copper hand calculator with
Napier's countingrods
Made by the Workshops of Qing Court
Kangxi period, Qing Dynasty
Length: 58cm　Width: 12.5cm
Height: 4.5cm
Qing Court Collection

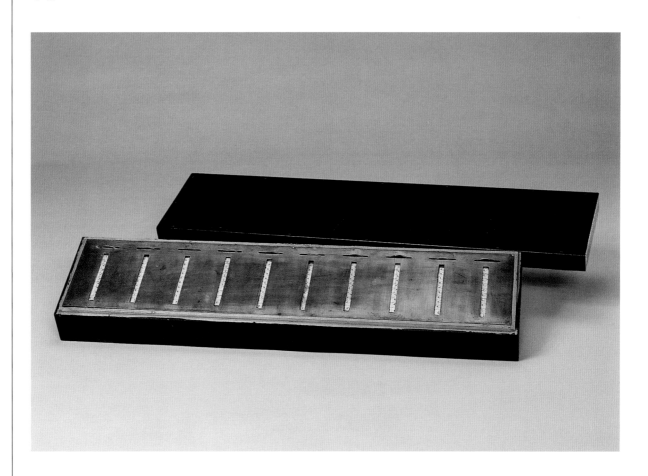

這台籌式計算機，其外形呈長方體形，在計算機上面有十個長方孔，內有十個牙籌，可表示十位數。每個長方孔下面接有一個可轉動的旋鈕。通過長方孔可看到放在計算機裏面圓柱體上的數碼。在每一長方孔裏面放着一個可以轉動的圓柱體，在圓柱體上刻着中國豎式象牙製的納白爾算籌，算籌上的數字用阿拉伯字碼表示。計算時，撥動旋轉，可通過納白爾籌算方法進行運算。

銅鍍金籌式手搖計算機

清康熙

長60厘米　寬12厘米　高5厘米

清宮造辦處

清宮舊藏

Gilt-copper hand calculator
with countingrods
Made by the Workshops of Qing Court
Kangxi period, Qing Dynasty
Length: 60cm　Width: 12cm
Height: 5cm
Qing Court Collection

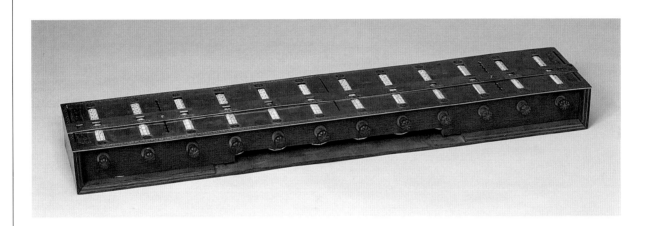

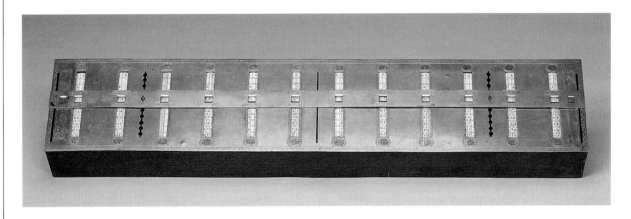

這台籌式計算機四周刻有中國吉祥紋飾回紋邊。在表面上開有十二個長8.8厘米、寬0.8厘米的長方孔，可表示十二位數。每個孔下有個圓柱形的籌滾，其上貼着用象牙製的中國式納白爾算籌。籌上的一豎行數目字正好從一長方孔露出。在長方孔的上端由右至左寫着"末"、"二"……"十二"等字，在長方孔下端這些字之下都加一個"位"字，表示第幾位數。計算機上面有長條形的游標，可上下平行移動。其上有十四個方孔，中間十二個可看出象牙籌上的十個數碼。孔的上方從右至左分別刻着"單數"、"十數"、"百數"、"千億"、"萬億"等字樣。從方孔讀到象牙籌上某一數碼時，根據游標上的文字即知這一數碼在哪一數位上。

此台籌式計算機可通過中國豎式算籌進行四則運算及開平方、開立方等運算。

銅鍍金帶游標籌式手搖計算機

清康熙

長45厘米　寬7.7厘米　高4厘米

清宮造辦處

清宮舊藏

Gilt-copper hand calculator with
countingrods and sliding index
Made by the Workshops of Qing Court
Kangxi period, Qing Dynasty
Length: 45cm　Width: 7.7cm　Height: 4cm
Qing Court Collection

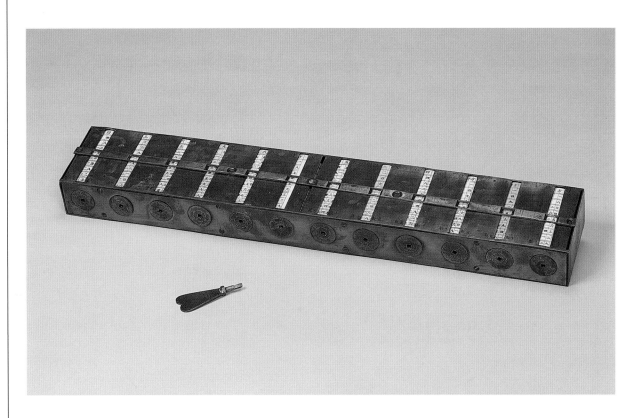

這件計算機外形呈長方體形，在計算機
上面有十二個長方孔，通過長方孔可看
到放在計算機裏面帶漢字的中國式算
籌。用鑰匙撥動旋轉，通過算籌可進行四
則運算及開平方、開立方等運算。

幾何多面體模型

清康熙
匣長45.3厘米　寬27厘米　高9.2厘米
清宮造辦處
清宮舊藏

A case of geometric polyhedron models
Made by the Workshops of Qing Court
Kangxi period, Qing Dynasty
Case length: 45.3cm　Width: 27cm
Height: 9.2cm
Qing Court Collection

幾何體中的正多面體最早由公元前5世紀希臘的畢達哥拉斯學派發現並研究，稱之為宇宙體，並分別用正四面體、正六面體、正八面體、正二十面體代表"火、風、土、水"四大元素，把最後發現的正十二面體視作宇宙整體，從而使這些幾何體罩上了一層神秘的色彩。

歐幾里德的《幾何原本》的第十三篇討論了這五種正多面體，並證明了正多面體只有五種。

這匣幾何體模型全部由楠木精製。匣內附有說明書一份，面上楷書寫"各等面體七十一號"。此立體幾何體模型是清宮造辦處為康熙皇帝學習幾何學所製造的教學用具。

楠木雕花框鑲銀刻比例表炕桌

清康熙
桌長96厘米　寬64厘米　高32厘米
清宮造辦處
清宮舊藏

Nanmu wood couch table with carved frame
inlaid with silver plates and carved with
proportional tables
Made by the Workshops of Qing Court
Kangxi period, Qing Dynasty
Length: 96cm　Width: 64cm　Height: 32cm
Qing Court Collection

楠木雕花框鑲銀刻比例表炕桌

這是一件為康熙皇帝便於數學演算而特製的炕桌，桌面嵌有三塊銀板，可活動裝卸。桌內腔有七個大小不等的格子，用於存放計算和繪圖工具。

桌子中間為正方形銀板，用於繪圖書寫。左、右兩邊長方形銀板上刻畫着許多表格和圖形。左邊一塊銀板的一端刻有十條橫綫和斜綫組成的精確到一千分之一的分厘尺。在銀板的中央刻有五條射綫，標以"開平方"及"求圓半徑"字樣，兩側分別為相比例面表與開平方面表，還有十條橫綫和斜綫組成的"分厘尺寸"的分厘尺。在右邊銀板的一端刻有十條橫綫和斜綫組成的精確到一千分之一的分厘尺。尺上方刻有五條射綫，射綫的另一端刻有"開立方"及"求球半徑"、"又測米堆"的字樣。兩側分別是相比例體表與開立方體表。

這張炕桌是康熙皇帝讀書時的專用設備，桌面銀板上的各種數學、比重表等可供他隨時查閱，一目了然。

康熙用數學用表

清康熙
清宮造辦處
清宮舊藏

Mathematical tables used by Emperor Kangxi
Made by the Workshops of Qing Court
Kangxi period, Qing Dynasty
Qing Court Collection

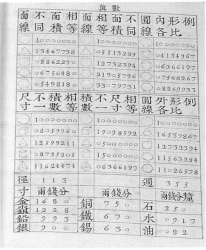

康熙用數學用表

這幾本數學用表，為《對數廣運》、《御製數表精詳》。既可用於查三角函數值，也可查多種物質的比重。它們當中有用漢字書寫，也有用拉丁文書寫，其中用漢字的數表，為清宮自製，用拉丁文書寫的表，應是傳教士帶進，又經清宮改造而成的中西合璧數表。

這些數表大小、薄厚不均，有用工筆精抄的，還用兩色木板套印的，裝幀都很精良，不但是實用的數學工具書，也是中國印刷出版史上的藝術精品。

地學測量類

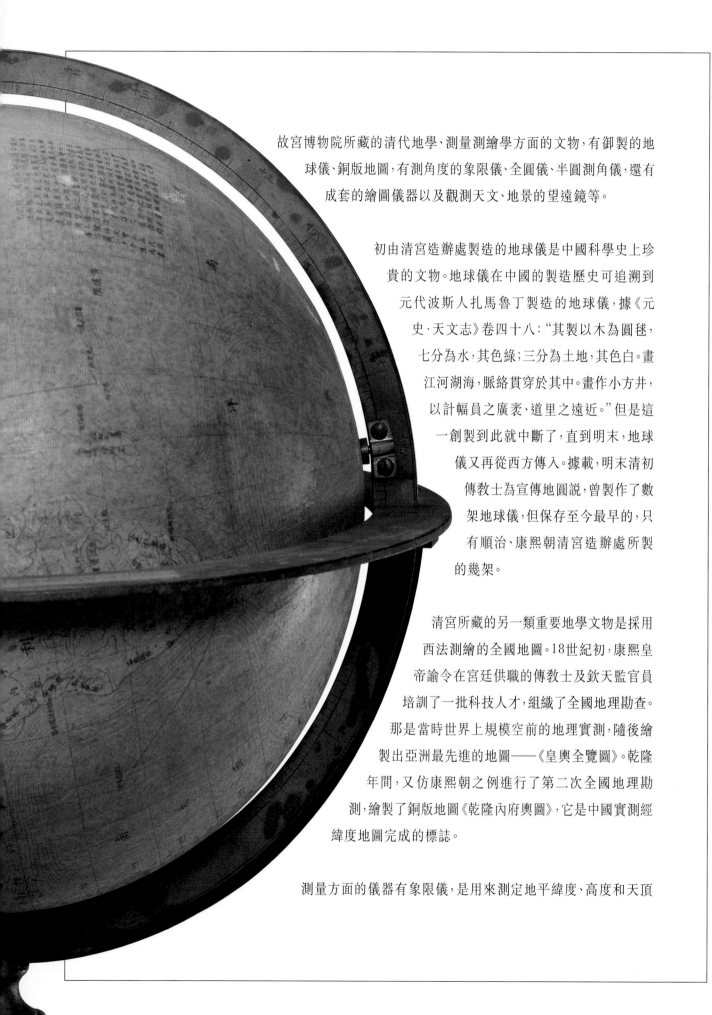

故宮博物院所藏的清代地學、測量測繪學方面的文物，有御製的地球儀、銅版地圖，有測角度的象限儀、全圓儀、半圓測角儀，還有成套的繪圖儀器以及觀測天文、地景的望遠鏡等。

初由清宮造辦處製造的地球儀是中國科學史上珍貴的文物。地球儀在中國的製造歷史可追溯到元代波斯人扎馬魯丁製造的地球儀，據《元史·天文志》卷四十八：「其製以木為圓毬，七分為水，其色綠；三分為土地，其色白。畫江河湖海，脈絡貫穿於其中。畫作小方井，以計幅員之廣袤、道里之遠近。」但是這一創製到此就中斷了，直到明末，地球儀又再從西方傳入。據載，明末清初傳教士為宣傳地圓說，曾製作了數架地球儀，但保存至今最早的，只有順治、康熙朝清宮造辦處所製的幾架。

清宮所藏的另一類重要地學文物是採用西法測繪的全國地圖。18世紀初，康熙皇帝諭令在宮廷供職的傳教士及欽天監官員培訓了一批科技人才，組織了全國地理勘查。那是當時世界上規模空前的地理實測，隨後繪製出亞洲最先進的地圖——《皇輿全覽圖》。乾隆年間，又仿康熙朝之例進行了第二次全國地理勘測，繪製了銅版地圖《乾隆內府輿圖》，它是中國實測經緯度地圖完成的標誌。

測量方面的儀器有象限儀，是用來測定地平緯度、高度和天頂距的儀器。17世紀之前，歐洲的天文地理觀測就已廣泛使用象限儀。早期在中國製作並使用象限儀的是明崇禎年間受西學影響的徐光啟。清康熙年間，傳教士南懷仁造象限儀等六儀器安裝在京觀象台。以後隨着康熙倡導的皇家大地測量活動，象限儀不斷在皇宮出現，多數產於法國、英國，少數為清宮造辦處所製。故宮收藏的這類藏品，由於體積小，象限半徑短，大都用於做地理測量。

清宮所藏的其他測量儀器，如全圓儀、半圓儀、平板儀等，多為英、法等國家製造。因年代久遠，這些儀盤上所安裝的調整水平的鉛墜綫均已丟失，但多數裝有羅盤儀，有些還安裝了望遠鏡以取代傳統的窺管，可使儀器既能適宜遠距離測量，又能把握其精確度，這是清宮測量儀的一個重要特點。

清宮繪圖儀器，一般都是成組裝配，外有銀、木、漆、鯊魚皮等製成的盒套，每套六至二十餘件不等，有比例規、分厘尺、摺疊角尺、卡尺、半圓規、兩腳規、鴨嘴筆等。為適應野外作業，有的還配以火爧、剪子、小刀、黑板、牙質畫棒等。繪圖儀器多為銅鍍金質，也有用象牙、銀、鐵質製作，產地為法國、英國和清宮造辦處。

清宮留存的物理學方面的儀器，有望遠鏡、聚光鏡、傅科擺等幾類。

故宮珍藏的望遠鏡有折射望遠鏡和反射望遠鏡兩種。望遠鏡傳入中國是在明朝末年。德國傳教士湯若望著《遠鏡說》並為宮廷製作了實物。清宮望遠鏡早期基本上是以凸透鏡為物鏡，以凹透鏡為目鏡的伽俐略式望遠鏡。乾隆朝後，隨着歐洲望遠鏡的發展，清宮中也出現了反射望遠鏡。有的望遠鏡筒上還安裝有一小型尋星鏡。另外在全圓儀、半圓儀上也安裝了目視望遠鏡，以提高觀測的準確度。

清宮銅質聚光鏡是一件金屬凹鏡。17世紀時，歐洲科學家馬里奧特 (Edme Mariotte) 和胡克 (Robert Hoobe) 採用金屬凹鏡以實驗證實了關於火與光的射綫中幅射熱的區別，這種物理學的實驗也進入了清宮。

傅科擺模型是根據法國物理學家傅科 (Jean Bernard Leon · Foucault) 於1851年為證實地球的自轉而設計的擺。但清宮藏傅科擺模型，因物體不大，僅作為學習教具使用。

順治朝地球儀

清順治
高19厘米　座徑34厘米　球徑10厘米
清宮造辦處
清宮舊藏

Terrestrial globe
Made by the Workshops of Qing Court
Shunzhi period, Qing Dynasty
Overall height: 19cm
Pedestal diameter: 34cm
Globe diameter: 10cm
Qing Court Collection

這是清宮收藏的最早的一件地球儀,為鐵質鍍金,底座八角形狀,每角
飾鑄一龍首,底座四立柱中置一地球儀。此儀銹蝕嚴重,模糊不清,但
仍能看出球徑上有鍍金痕迹。

康熙朝地球儀

清康熙
通高135厘米　球徑70厘米
清宮造辦處
清宮舊藏

Terrestrial globe
Made by the Workshops of Qing Court
Kangxi period, Qing Dynasty
Overall height: 135cm
Globe diameter: 70cm
Qing Court Collection

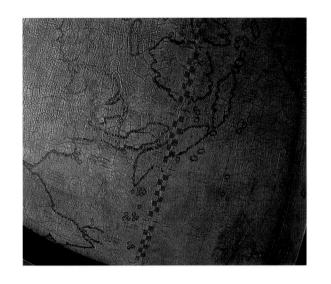
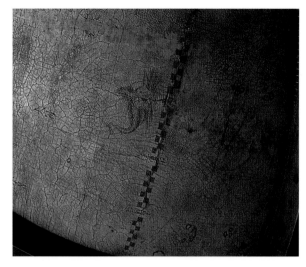
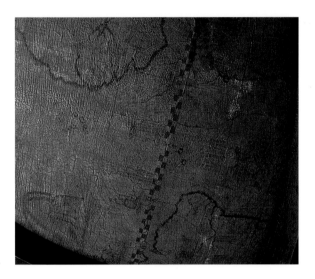
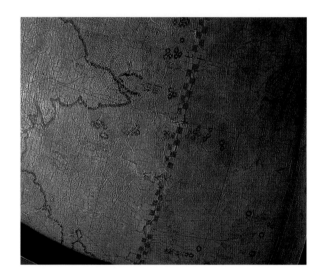

西方人的地理知識，很大程度是依靠航海經驗積累的，其中地球儀的製作就是這種知識的實踐。地球儀製作方法是先做成木質骨架，再往上填滿泥膏，使之成為球形，然後將球面打光，上油漆，最後畫地圖，寫上說明文字。

這架地球儀球面上，縱向排列有南北極圈，南北回歸綫、赤道、黃道以及緯度綫。黃道上有二十四節氣名稱，縱向排畫的是經度綫。本初子午綫，在西太平洋上，但並不採用東西經的辦法，而是由0°到360°，180°綫通過英國以西的大西洋（球面模糊）。經緯綫都是每隔10°畫一條。

球面地圖上大陸部分有行政區劃綫（國界），有河流、湖泊及中國長城等。南美的南部能分辨出火地島、亞馬遜河。西南太平洋上澳大利亞、菲律賓、爪哇、馬來半島、新

幾內亞、新西蘭以及日本、白令海峽等都有，南極也有輪廓綫。圖上畫有航綫，海上有不少地方畫各種水獸，形狀奇特，而非真實。地名均黑色楷書，如"北京"、"太原"、"蘭州"等，但北美和歐洲字迹模糊，有些地方海岸綫已無法辨認。

球體安裝在黃銅製的地平圈上，地平圈上面有刻度，分為四段，每段90°，用漢字寫"一十"、"二十"……"九十"。北極上有時盤，上刻"子初"、"子正"、"丑初"、"丑正"等字樣。

光緒朝地球儀

清光緒
通高51厘米　球徑25厘米
中國
清宮舊藏

Terrestrial globe
Made in China
Guangxu period, Qing Dynasty
Overall height: 51cm
Globe diameter: 25cm
Qing Court Collection

地球儀呈藍色，上繪世界地理圖形，字迹清晰。球面標有説明，介紹地球的簡要歷史。題款為"光緒庚辰夏四月石埭楊文會仁山氏識，善化蕭仁傑介生氏書"。

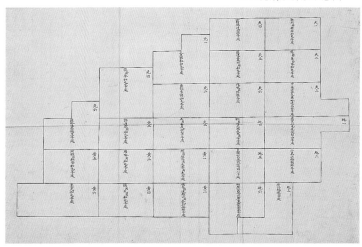

乾隆內府輿圖銅版

清乾隆

銅版長76厘米　寬45.8厘米　厚1厘米

清宮造辦處

清宮舊藏

Copperplate of The Domain of Emperor Qianlong's Reign
Made by the Workshops of Qing Court
Qianlong period, Qing Dynasty
Length: 76cm　Width: 45.8cm
Thickness: 1cm
Qing Court Collection

清代《乾隆內府輿圖》是乾隆年間在康熙《皇輿全覽圖》的基礎上修訂補充而成的全國地圖，又稱《乾隆皇輿全圖》。

康熙年間，哈密以西地區未能實測，乾隆二十一年（1756）和乾隆二十四年（1759），兩次派人前往測量。天山以北由何國宗和努三負責，以南由明安圖負責，乾隆二十五年（1760）測量完畢。乾隆二十五年至二十七年（1760－1762），在宮廷供職的法國傳教士蔣友仁（Michael Benoist）等，在《皇輿全覽圖》的基礎上吸收了《西域圖志》的新成果，同時利用法國傳教士宋君榮（P. Aatoine Gaubil）收集的亞洲地理資料編繪成《乾隆內府輿圖》。乾隆二十五年至三十五年（1760－1770）蔣友仁又負責將《乾隆內府輿圖》製成銅版104方。其所用經緯網、投影和比例尺仍本康熙圖，不但內容詳密，而且還訂正了西藏部分的錯誤。此圖銅版於1925年在北京故宮發現，1932年重印。該圖以緯度每隔5°為一排，共分十三排，故又名《乾隆十三排圖》，這是其中的一塊銅版。

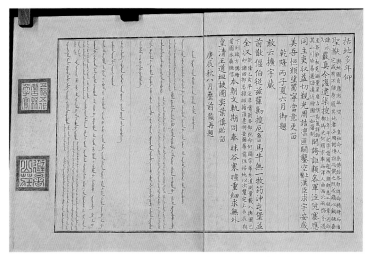

《皇輿全覽圖·內府刻本序》

木象限儀

清康熙
弧盤半徑66厘米
清宮造辦處
清宮舊藏

Wooden quadrant
Made by the Workshops of Qing Court
Kangxi period, Qing Dynasty
Arc disc radius: 66cm
Qing Court Collection

象限儀又稱四分儀,即全圓的四分之一。其結構簡潔,一般由90°扇形
框架再配以游標與固定立耳瞄準器構成,既可用來測算天體的地平高
度和天頂距,又可用來測算水平方向的距離。當用來測量高度時,先將
儀器懸置,通過圓心與半徑端的立耳將象限儀一側半徑對天頂,再通
過圓心與游標上的立耳確認所觀測的星,此時游標在象限弧上所指的
刻度即是星的地平高度。如測水平方向的距離,需將儀器水平放置,先
將一半徑對準北極,再通過游標確認目標,對準北極的半徑與游標所
夾角即是測求的角度。

這件象限儀弧盤為木質結構,盤上固定有三個立耳瞄準器,弧盤中心
有一游標長63厘米(立耳已失)。此儀附三角支架70厘米。

御製矩度象限儀

清康熙
弧盤半徑27厘米
清宮造辦處
清宮舊藏

The imperial quadrant with squares formed
by crossed lines
Made by the Workshops of Qing Court
Kangxi period, Qing Dynasty
Arc disc radius: 27cm
Qing Court Collection

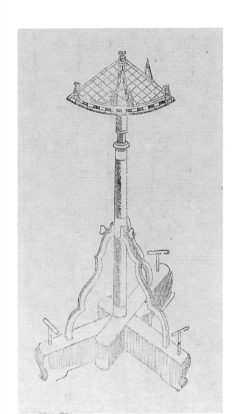

《皇朝禮器圖式·卷三》

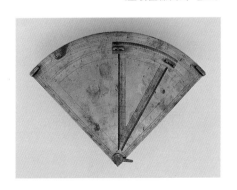

這件象限儀為銅質,它與一般象限儀差別在於從弧盤上的九等分刻度
引出縱橫直綫垂直相交為矩形方格,故稱"矩度象限儀"。另外,從這
件儀器的圓心角還引出一支帶立耳似三角形狀的尺游標,也是其特點
之一。此儀被收入《皇朝禮器圖式》一書。

御製方矩象限儀

清康熙

方盤邊長32厘米

清宮造辦處

清宮舊藏

**Quadrant with a square disc made
by the imperial order**
Made by the Workshops of Qing Court
Kangxi period, Qing Dynasty
Length of the square disc: 32cm
Qing Court Collection

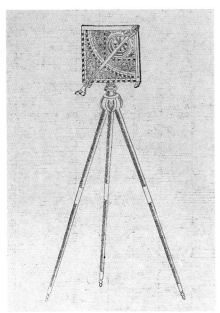

《皇朝禮器圖式·卷三》

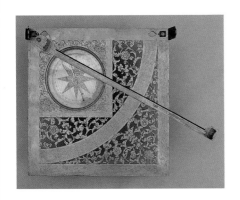

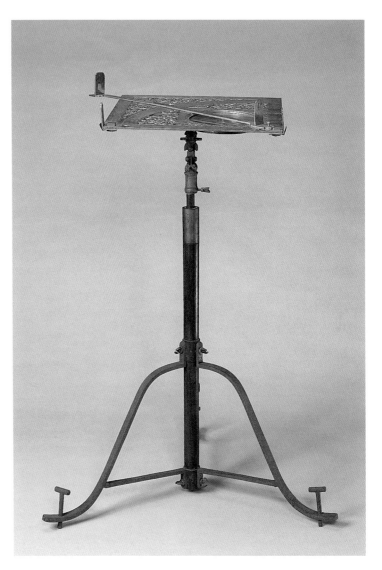

這件方矩象限儀與普通象限儀的差別在於將象限儀鑄製在一個正方形銅盤中，此方盤上有0°到90°和0°到100°刻度，兩邊各固定一立耳瞄準器，方盤一角置一游標，兩端各置一立耳瞄準器。在其扇形盤內刻有方矩綫，方盤邊與象限弧邊均有十等分刻度。象限儀中還嵌有一盤徑14厘米的象限羅盤。此儀上原懸有鉛垂綫（現已失），便於測天體高度時確立天頂。這件儀器盤面鐫有"康熙御製"款識，被收入《皇朝禮器圖式》一書。

康熙御製款銅鍍金象限儀

清康熙

弧盤半徑41.5厘米

清宮造辦處

清宮舊藏

Gilt-copper quadrant with the mark "Kangxi Yu Zhi" (made by the emperor Kangxi's order)
Made by the Workshops of Qing Court
Kangxi period, Qing Dynasty
Arc disc radius: 41.5cm
Qing Court Collection

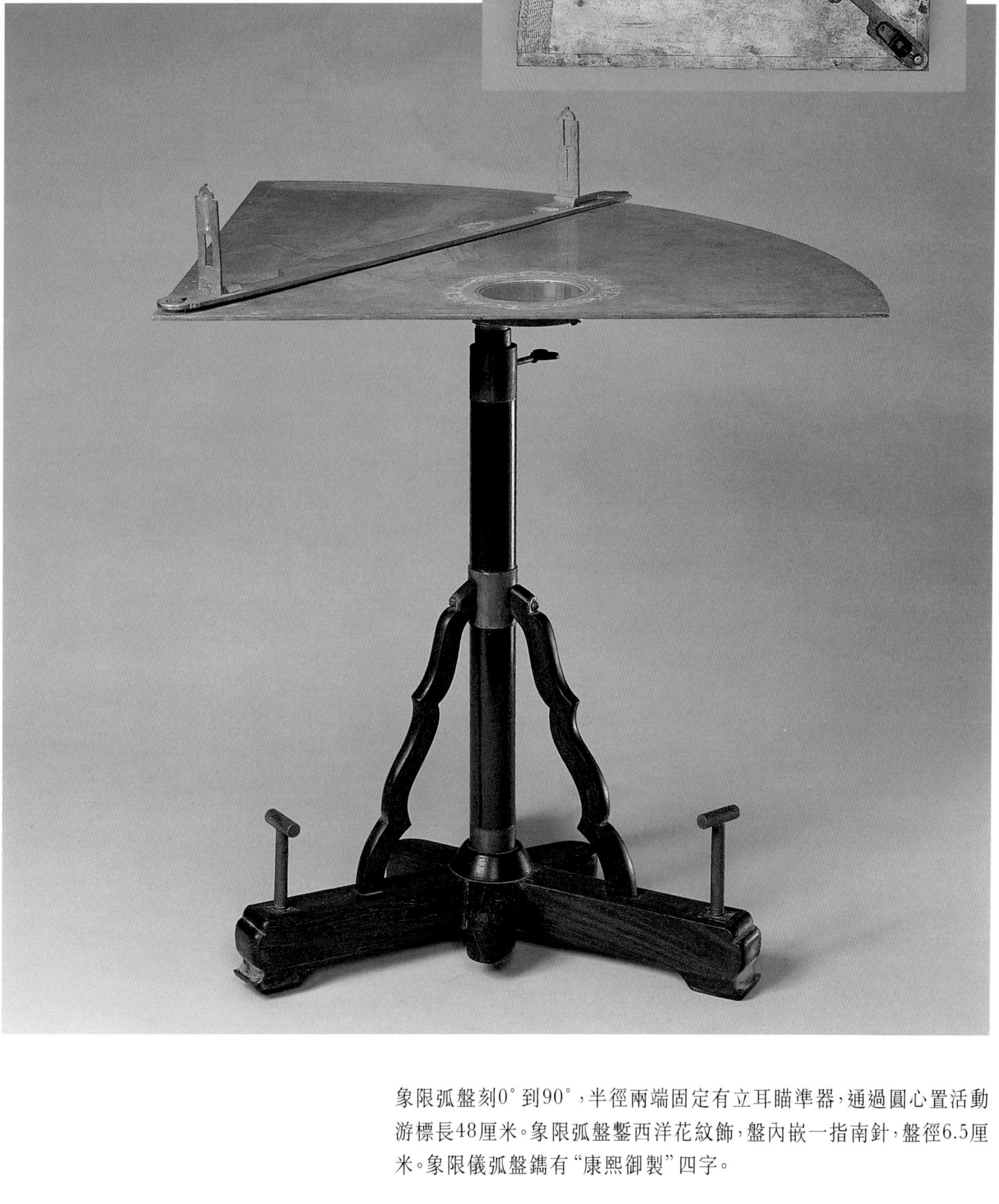

象限弧盤刻0°到90°，半徑兩端固定有立耳瞄準器，通過圓心置活動游標長48厘米。象限弧盤鏨西洋花紋飾，盤內嵌一指南針，盤徑6.5厘米。象限儀弧盤鐫有"康熙御製"四字。

銅鍍金象限儀

18世紀

弧盤半徑41.5厘米

歐洲

清宮舊藏

Gilt-copper quadrant
Made in Europe
18th century
Arc disc radius: 41.5cm
Qing Court Collection

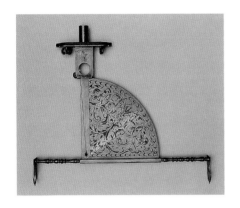

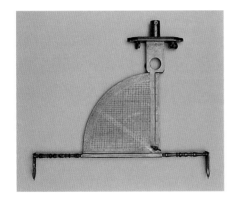

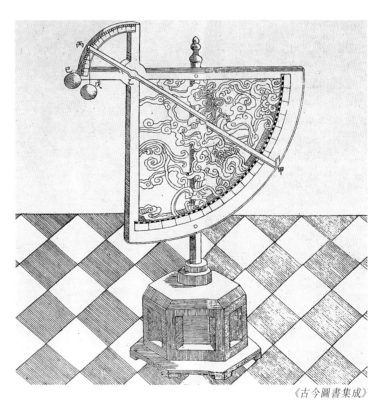

《古今圖書集成》

象限儀弧盤上刻0°到100°和0°到90°，兩端置固定立耳瞄準器，盤中心置游標長30厘米。

銅製測高弧象限儀

清康熙
附銅架通高66厘米　弧盤半徑66厘米
清宮造辦處
清宮舊藏

**Copper arc quadrant for finding
zenith distance**
Made by the Workshops of Qing Court
Kangxi period, Qing Dynasty
Overall height: 66cm
Arc disc radius: 66cm
Qing Court Collection

《皇朝禮器圖式·卷三》

測高弧象限儀的正確放置方式應如線圖
所示，儀器弧度超出90°為100°。此儀的
圓心處裝有一個四面穿孔的小圓柱，可
以轉動。在象限弧兩端各有一個立耳瞄
準器，立耳上有中綫，使用者調整儀器，
使日光從圓柱細縫透過後恰好落在立耳
的中綫上，這時圓柱細縫和立耳的連綫
正確表示了太陽光的方向，立耳中綫指
示的度數和墜綫（已失）指示的度數之差
就是太陽的天頂距。象限儀底座盤嵌一
指南針，可校正測量方向。此儀收入《皇
朝禮器圖式》一書。

銅鍍金雙千里鏡象限儀

18世紀
附鐵架通高146厘米　弧盤半徑50厘米
英國倫敦
清宮舊藏

Gilt-copper quadrant with two telescopes
Made in London, England
18th century
Overall height: 146cm
Arc disc radius: 50cm
Qing Court Collection

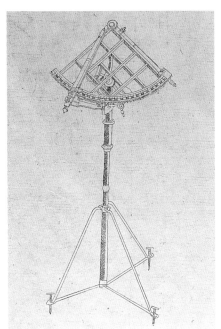

《皇朝禮器圖式·卷三》

象限儀弧盤刻有0°到500°和0°到90°，在弧盤一直角邊下面有一望遠鏡，固定不動，作為定表；另在弧盤象限中心安有一可移動的望遠鏡，作為游標。兩架望遠鏡均長55厘米，筒徑2.5厘米，觀測目標呈倒像，內有十字絲，為開普勒式折射望遠鏡。在象限儀盤下面安有縱、橫兩個半圓形齒輪，可調控儀盤，使象限儀既可測水平面內的角度，也可測垂直面內的角度。在象限儀弧盤上鐫有英文："Made by The Wright Instrument Maker to His Royal Highness George Prince of WALES"。

"The WRIGHT In Fleet Street Feclt Barbot London"即：倫敦 佛里特大街軟特儀器製造商為威爾士親王喬治殿下製造。

銅千里鏡象限儀

清乾隆

弧盤半徑75厘米

清宮造辦處

清宮舊藏

Copper quadrant with a telescope
Made by the Workshops of Qing Court
Qianlong period, Qing Dynasty
Arc disc radius: 75cm
Qing Court Collection

象限儀弧盤上刻0°到90°,其弧盤直邊固定一望遠鏡,作為定表;另在弧盤象限中心安有一可移動的望遠鏡,作為游標。兩架望遠鏡均長70厘米、筒徑2.5厘米,物鏡、目鏡已失。

測炮象限儀

清乾隆
高18.5厘米
清宮造辦處
清宮舊藏

Quadrant for range-finding of a cannon
Made by the Workshops of Qing Court
Qianlong period, Qing Dynasty
Height: 18.5cm
Qing Court Collection

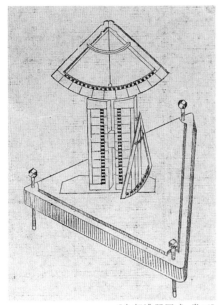

《皇朝禮器圖式·卷三》

此儀使用時置炮上,通過游標內所穿小
孔可以測算出炮與目標的距離與角度。
這件儀器被收入《皇朝禮器圖式》一書。

《古今圖書集成》

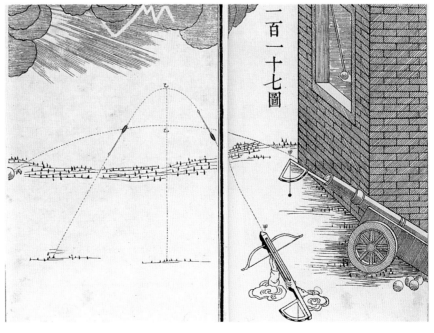

木質單游標半圓儀

清康熙
盤半徑23厘米
清宮造辦處
清宮舊藏

**Wooden semi-circle protractor with
a movable pointer**
Made by the Workshops of Qing Court
Kangxi period, Qing Dynasty
Disc radius: 23cm
Qing Court Collection

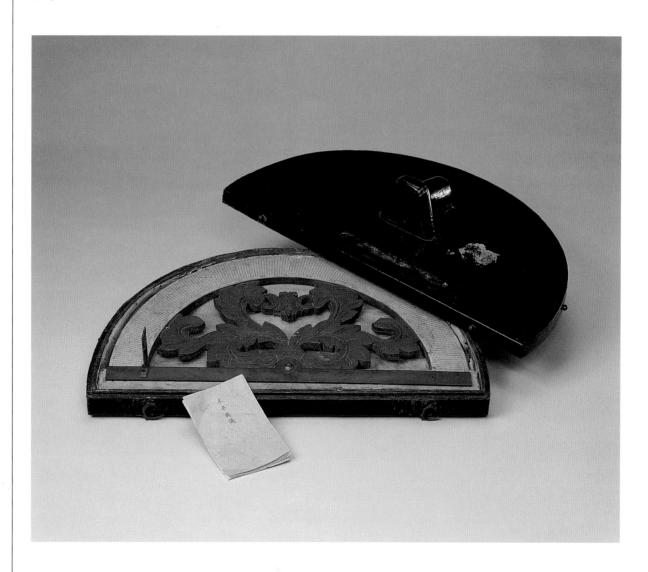

此儀盤上圍刻0°到180°，盤兩端的立耳瞄準器和游標、鉛墜綫均已
失，盤心鏨刻西洋花紋飾。半圓儀配備黑漆木盒。

四游標半圓儀

清康熙五十三年 (1714)

盤半徑42厘米

清宮造辦處

清宮舊藏

**Semi-circle protractor with four
movable pointers**
Made by the Workshops of Qing Court
53rd year of Kangxi's reign, Qing Dynasty (1714)
Disc radius: 42cm
Qing Court Collection

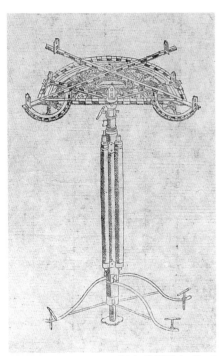

《皇朝禮器圖式·卷三》

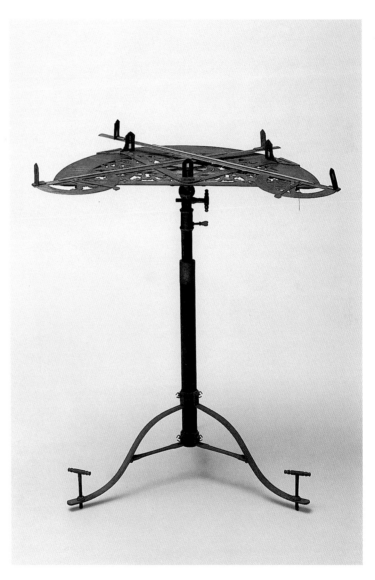

這是一件通過測角而求距離的儀器,儀盤圍刻0°到90°到0°,盤中鑲嵌一直徑為12厘米的羅盤儀,在儀盤半圓底邊兩端各有一直徑15厘米的小半圓儀,其上各置一游標,長48厘米,均刻100°到2200°。使用時通過游標及所測目標相交成三角形,便可計算出欲求的高度或距離。此儀盤以典型的羅柯可式西洋花紋裝飾,並鐫刻"康熙御製"、"歲次甲午年製"等款識。甲午為康熙五十三年 (1714)。

銀質單游標半圓儀

清康熙

盤半徑9厘米

清宮造辦處

清宮舊藏

Silver semi-circle protractor with
a movable pointer
Made by the Workshops of Qing Court
Kangxi period, Qing Dynasty
Disc radius: 9cm
Qing Court Collection

此儀盤邊圍刻0°到180°，附置一盤徑2.5厘米的指南針。在儀盤直徑兩
端固定有立耳瞄準器，儀盤圓心處置有一帶立耳的游標，表端安裝有
立耳，通過儀盤直徑兩端立耳與游標即可測出水平的方位角。

銅單游標半圓儀

清康熙

盤半徑51厘米

清宮造辦處

清宮舊藏

**Copper semi-circle protractor
with a movable pointer**
Made by the Workshops of Qing Court
Kangxi period, Qing Dynasty
Disc radius: 51cm
Qing Court Collection

半圓儀盤邊圍刻0°到90°到0°,盤中嵌一直徑7.5厘米的羅盤儀,儀盤
直徑兩端各置一立耳瞄準器,通過儀盤圓心的是一長95厘米的游標。
測量角度時,先以固定立耳對準目標,再滑動游標對準另一目標,即可
測出兩目標所張的角度,進而計算距離。

銅鍍金單游標半圓儀

18世紀
盤半徑22厘米
歐洲
清宮舊藏

**Gilt-copper semi-circle protractor
with a movable pointer**
Made in Europe
18th century
Disc radius: 22cm
Qing Court Collection

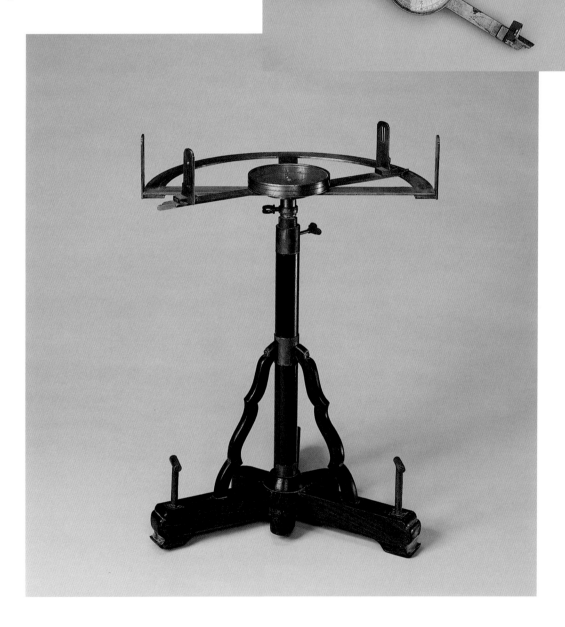

此儀盤中所嵌羅盤直徑為10.5厘米，並標示 "SE、S、SW、W、WN、N、
NE、E" 八個方向。

110

銅鍍金巴黎款單游標半圓儀

18世紀

盤半徑16厘米

法國巴黎

清宮舊藏

Gilt-copper semi-circle protractor with a movable pointer and a mark of Paris
Made in Paris, France
18th century
Disc radius: 16cm
Qing Court Collection

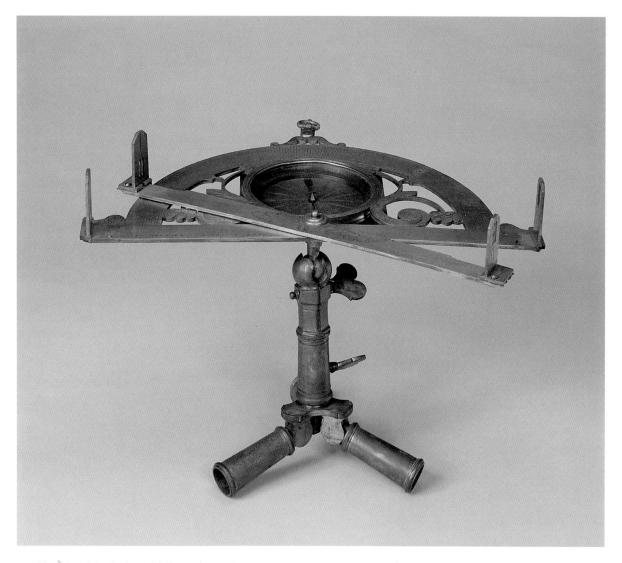

銅鍍金單游標女神像半圓儀

111

18世紀

盤半徑26厘米

法國巴黎

清宮舊藏

**Gilt-copper semi-circle protractor with a
movable pointer and images of goddess**
Made in Paris, France
18th century
Disc radius: 26cm
Qing Court Collection

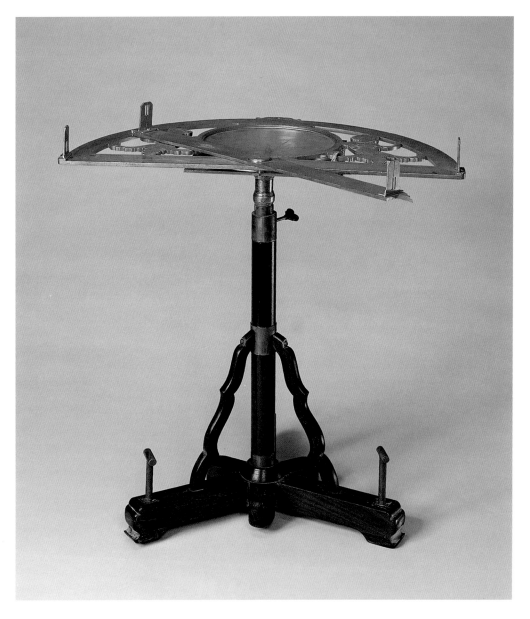

此儀半圓弧盤上方從左至右圍刻0°到180°，下方從右至左圍刻0°到
90°到180°。儀盤中嵌一直徑19厘米的羅盤，上寫西文："NORT N
Nortest Est E Nortest SUD Ouest"。半圓儀盤上也鑴有西文：
"BUTTERFIELD A PARIS"。此儀附有清宮當年所附黃條墨書："廿
一號 鍍金大半圓儀一件 木架 有原說"。

銅鍍金單游標半圓儀

18世紀

盤半徑17厘米

歐洲

清宮舊藏

Gilt-copper semi-circle protractor with
a movable pointer
Made in Europe
18th century
Disc radius: 17cm
Qing Court Collection

《古今圖書集成》

此儀盤邊圍刻0°到180°，盤圓心安游標長15厘米，盤中心置羅盤直徑5厘米。

四游千里鏡半圓儀

18世紀

通高30厘米　盤半徑32厘米

歐洲

清宮舊藏

Semi-circle protractor with a telescope

Made in Europe

18th century

Overall height: 30cm

Disc radius: 32cm

Qing Court Collection

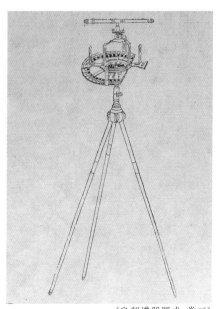

《皇朝禮器圖式·卷三》

四游千里鏡半圓儀

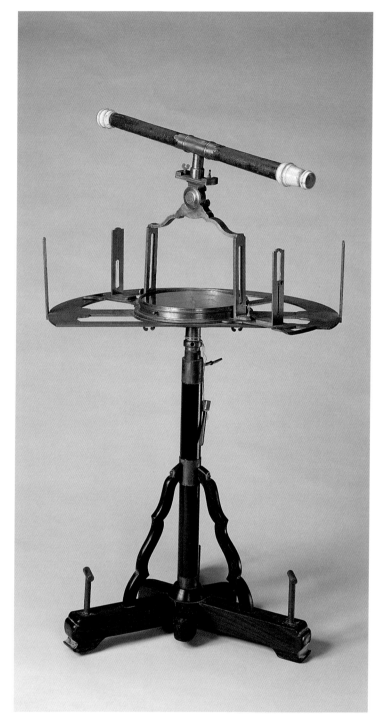

此儀盤圍刻160°到360°,因此,嚴格意義上説,這應是件"多半圓儀"而非"半圓儀"。在儀盤直徑兩端各有一立耳瞄準器,直徑為16厘米的羅盤置於半圓儀盤圓心,內刻1°到360°,並分別標明八個方向:South East North East North West South West。通過羅盤圓心(亦即多半圓儀圓心),橫跨羅盤儀上方的游標實際是一架長42厘米的竹質望遠鏡,觀測者通過望遠鏡尋找目標,而望遠鏡的支架同時也起游標上立耳瞄準器的作用。這件測量儀器既可測水平面內角度,也可將其傾斜90°測垂直面裏的角度。儀盤上鑴刻西文:"CALE STES·PANDIE·PORTA"。

銅鍍金全圓儀

18世紀

盤直徑36厘米

英國

清宮舊藏

Gilt-copper whole circle protractor
Made in England
18th century
Disc diameter: 36cm
Qing Court Collection

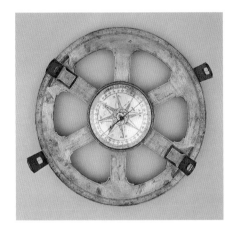

此儀盤上圍刻1°到360°，在直徑兩端固
定有立耳瞄準器。盤中嵌羅盤儀，直徑14
厘米，盤內外圈刻1°到360°，內圈又刻
10°到90°，標明"N、E、S、W"四個方向。
在羅盤儀直徑兩端有固定立耳瞄準器，
由於羅盤儀可旋轉，盤上的立耳便起到
了游標的作用。此儀盤上鐫刻製作者名：
"E CUIPEPER LONDINI"。

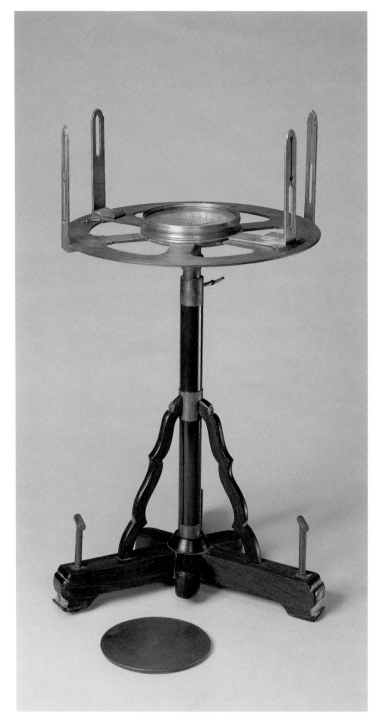

銅鍍金四定標全圓儀

18世紀

盤直徑32.5厘米

清宮造辦處

清宮舊藏

**Gilt-copper whole circle protractor with
four fixed sighting devices**
Made by the Workshops of Qing Court
18th century
Disc diameter: 32.5cm
Qing Court Collection

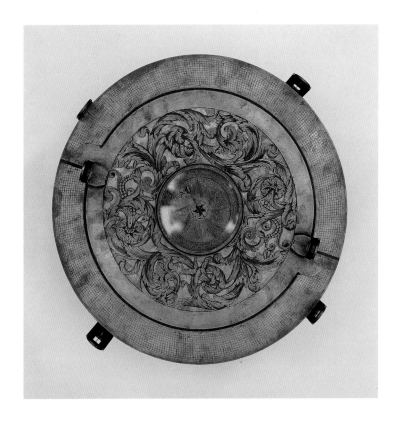

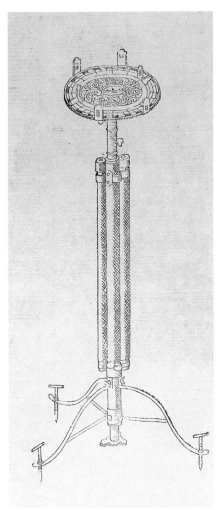

《皇朝禮器圖式·卷三》

此儀有內、外兩重盤,外盤邊緣固定的四
個立耳瞄準器將儀盤分為四個象限。內
盤直徑兩端也設兩個立耳瞄準器,由於
內盤可轉動,內盤的立耳便起游標作用。
此儀既可測水平方向的角度,亦可作90°
傾斜測垂直方向的角度。

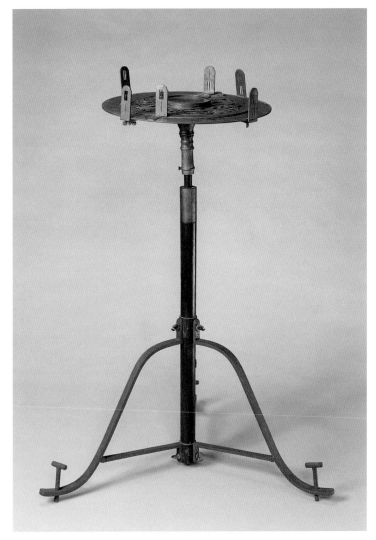

銅鍍金矩度全圓儀

18世紀

通高30厘米　盤直徑20厘米

歐洲

清宮舊藏

Gilt-copper whole circle protractor with a carpenter's square
Made in Europe
18th century
Overall height: 30cm
Disc diameter: 20cm
Qing Court Collection

這件儀盤外周邊經過圓盤直徑處固定有二立耳，另有一長18厘米的游標穿過圓心，游標上附一羅盤，盤內刻360°並標明西文："Meridies Occides Septetrio Oriens"。在全圓儀盤一側置一長20厘米的矩尺，尺上刻有1°到120°及西文："VMBRA VERSA"、"VMBRA RECTA"，此儀的水平位置需通過盤側所懸鉛垂綫與底座上的調節鈕來確定。

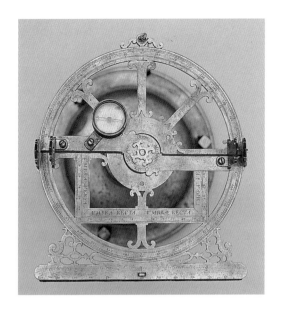

銅鍍金雙千里鏡全圓儀

117

18世紀

通高33厘米　盤直徑22.5厘米

法國巴黎

清宮舊藏

Gilt-copper whole circle protractor with
two telescopes
Made in Paris, France
18th century
Overall height: 33cm
Disc diameter: 22.5cm
Qing Court Collection

此儀盤面刻360°，在盤上下方各有一小千里鏡，盤上千里鏡側並附一直徑僅4厘米的羅盤儀，當測量時，以盤下千里鏡作定標，找到定點目標，以盤上千里鏡作游標，它可指出盤面刻度，算出測量的角度。此儀盤可傾斜45°。盤面鑴刻 "Chapotot PARIS"。

銅鍍金單千里鏡全圓儀

18世紀

盤直徑35厘米

歐洲

清宮舊藏

Gilt-copper whole circle protractor with a telescope
Made in Europe
18th century
Disc diameter: 35cm
Qing Court Collection

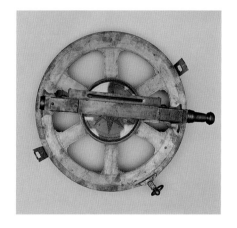

此儀盤上圍刻10°到360°，共有四個立耳瞄準器，其中兩個固定在直徑兩端做定標，另兩個隨中心羅盤儀活動作游標。游標上承一架長35厘米的正方筒銅鍍金望遠鏡，可上下調節10厘米左右。望遠鏡一側還附一長18厘米的水準管，以隨時校正水平。全圓儀盤上鐫刻"J·Rowley Fecit"。

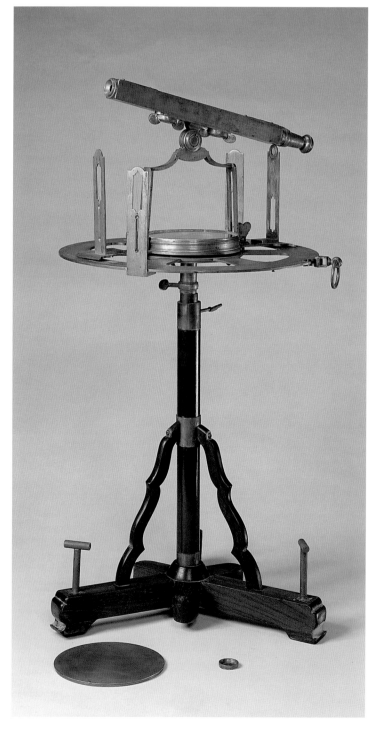

銅鍍金小花全圓儀

119

清乾隆

通高14厘米　直徑18厘米

清宮造辦處

清宮舊藏

**Gilt-copper whole circle protractor in
the shape of petal**
Made by the Workshops of Qing Court
Qianlong period, Qing Dynasty
Overall height: 14cm　Diameter: 18cm
Qing Court Collection

《皇朝禮器圖式·卷三》

此儀為十字花瓣形，故稱"小花全圓儀"。在花瓣四端各有一立耳瞄準器，其中一花瓣上還帶一指南針，盤內有"S、OR、M、OC"字樣。在全圓儀中心花蕊處有刻度，觀測時，將帶指南針的一對花瓣作為定標，另一對花瓣為游標，從花蕊上讀出兩組花瓣間的度數，便是所測目標的角度。此儀既可測水平方向的角度，亦可測垂直方向的角度。此儀收入《皇朝禮器圖式》一書。

繪圖平板儀

18世紀
長27.5厘米　寬22.5厘米
法國巴黎
清宮舊藏

Plane alidade for drawing
Made in Paris, France
18th century
Length: 27.5cm　Width: 22.5cm
Qing Court Collection

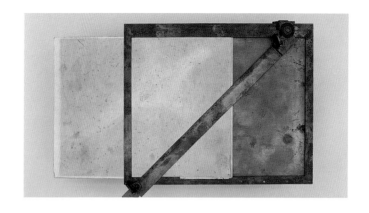

平板儀銅製，長方形，三邊刻0°到90°到
120°到180°，另一邊刻0°到310°。平板
儀一側兩端各置立耳瞄準器，可作為定
標，左下角置一活動游標，長33厘米、寬2
厘米，游標上刻0°到380°。平板儀上夾有
繪圖紙，測量時可以邊測邊繪，便捷實
用。繪圖平板儀上鑴刻"PARIS Centve
des degvez"。

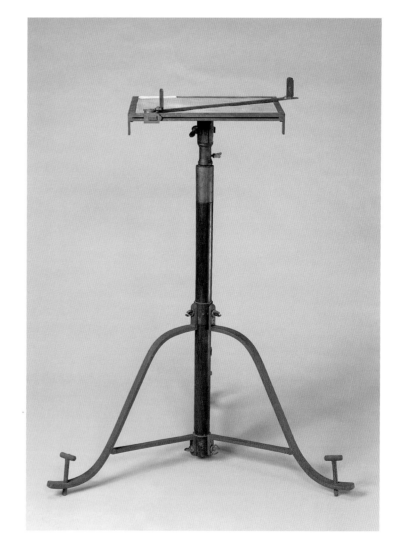

三角形測量儀

清康熙
最長尺長25.5厘米
清宮造辦處
清宮舊藏

Triangular measuring apparatus
Made by the Workshops of Qing Court
Kangxi period, Qing Dynasty
Length of the longest ruler: 25.5cm
Qing Court Collection

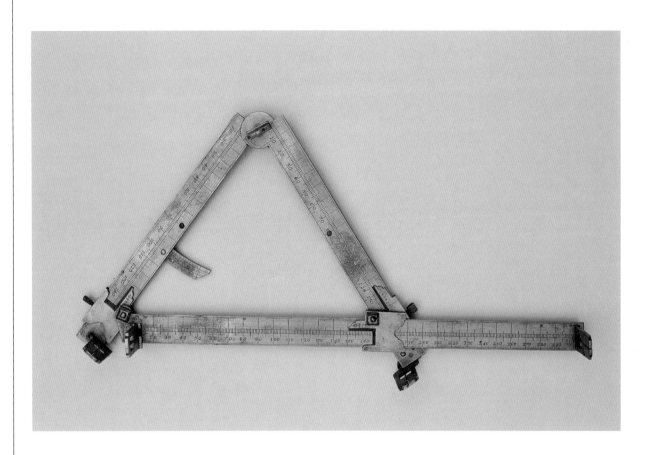

這是一件由三根直尺構成並可調節角度的三角形儀器。其中最長的直尺刻0°到300°，兩端各有一立耳瞄準器，另外兩尺等長，由一個帶立耳的樞鈕相連，其刻度均為0°到150°，在兩尺的端點也各有一立耳瞄準器。

銅鍍金定南針水平盤

18世紀

厚2厘米　盤直徑22厘米

英國倫敦

清宮舊藏

Gilt-copper campass
Made in London, England
18th century
Thickness: 2cm　Disc Diameter: 22cm
Qing Court Collection

羅盤儀中為十字花紋，盤緣標有八個方向"N、NE、E、SE、S、SW、W、
NW"，盤刻度沿方向分別為四個0°到90°。其盤儀蓋面附清宮當年白
紙墨書："卅四號帶南針水平盤赤道公晷一件"；又墨書："定南針水平
盤一件"。從墨書文字看，這件指南針應是某赤道公晷儀上的一個部
件，早與主件分離而被單獨使用了。

銅鍍金象限羅盤儀
18世紀
盤直徑8厘米
歐洲
清宮舊藏

**Gilt-copper compass with
quadrant graduations**
Made in Europe
18th century
Compass card diameter: 8cm
Qing Court Collection

象限羅盤儀的盤內有刻度四個方向的0°到90°，盤外側附控制指針撥
動的固定鎖。

銅圓盒指南針
18世紀
盒直徑2厘米
歐洲
清宮舊藏

Round copper box inlaid with a compass
Made in Europe
18th century
Round copper box diameter: 2cm
Qing Court Collection

銅質圓盒中鑲嵌直徑1.6厘米的指南針，盤內有S、W、E、N字樣標誌四個方向。

象牙橢圓盤指南針

清乾隆

長6.3厘米　寬2.3厘米

清宮造辦處

清宮舊藏

Compass set on an oval ivory disc
Made by the Workshops of Qing Court
Qianlong period, Qing Dynasty
Length: 6.3cm　Width: 2.3cm
Qing Court Collection

這件指南針嵌在橢圓形象牙盤上，盤面上有花卉紋飾，中間為直徑1.7
厘米的指南針，盤圍以漢字"卯、辰、巳、午、未、申、酉"標示時刻。

126

銀燒藍琺瑯蟬形指南針

清乾隆

長2.4厘米　寬1.2厘米

清宮造辦處

清宮舊藏

**Silver compass in the shape of a cicada
inlaid with blue enamel**
Made by the Workshops of Qing Court
Qianlong period, Qing Dynasty
Length: 2.4cm　Width: 1.2cm
Qing Court Collection

這件指南針外形為銀蟬，蟬頭頂嵌琺瑯，
將蟬翅掀開，內嵌一直徑僅0.8厘米的指
南針。從設計上看，此指南針的實用性已
減退，轉而成為作佩飾的珍玩。

銀燒藍琺瑯魚形指南針

清乾隆

長2.3厘米　寬1.7厘米

清宮造辦處

清宮舊藏

Silver compass in the shape of a fish decorated with blue enamel
Made by the Workshops of Qing Court
Qianlong period, Qing Dynasty
Length: 2.3cm　Width: 1.7cm
Qing Court Collection

指南針外形為銀魚形，身飾藍色琺瑯，上嵌一直徑0.8厘米的指南針，盤圍標有 "N、E、S、W" 四個方向。

琺瑯桃心形指南針

清乾隆

盤直徑0.9厘米

清宮造辦處

清宮舊藏

Heart-shaped enamel compass
Made by the Workshops of Qing Court
Qianlong period, Qing Dynasty
Compass card diameter: 0.9cm
Qing Court Collection

指南針為桃心形狀，內嵌有 "E東、S南、W西、N北" 字樣的指南針。

銅鍍金盤指南針

清晚期

盤徑3.5厘米

清宮造辦處

清宮舊藏

Compass with a gilt-copper card
Made by the Workshops of Qing Court
The late Qing Dynasty
Compass card diameter: 3.5cm
Qing Court Collection

指南針盤內標明"東、西、南、北"紅體字,在其外圍注明黑體字"未、午、巳、辰、卯、寅"等時刻和刻度綫。指南針小巧玲瓏,附在彈簧座上,既可取下作珍玩佩飾,又可作為書案上的小陳設。

黑漆盒繪圖儀器

清康熙

盒長25.5厘米　寬22厘米　厚5.5厘米

清宮造辦處

清宮舊藏

**Drawing instruments in a black
lacquer case**
Made by the Workshops of Qing Court
Kangxi period, Qing Dynasty
Length of case: 25.5cm　Width: 22cm
Thickness: 5.5cm
Qing Court Collection

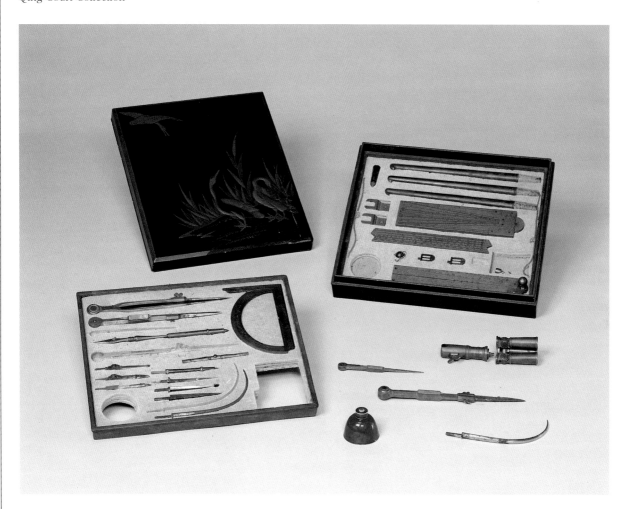

黑漆製繪圖盒分上、下兩層，內裝繪圖儀器三十餘件，其中有各種大小
畫規，長約15厘米；圓規尺長11厘米；比例尺長16.5厘米、寬4厘米；另
有距尺、直尺和可摺合成三角的測角尺等。盒內還放有三角形銅鍍金
支架，小巧玲瓏，簡單實用。有一存放墨水的藍色水盛，其底部鑴"康熙
御製"四字。

黃雲緞匣繪圖儀器

清康熙
匣長18厘米　寬8.5厘米　厚3厘米
清宮造辦處
清宮舊藏

Drawing instruments in a yellow satin case
Made by the Workshops of Qing Court
Kangxi period, Qing Dynasty
Length of case: 18cm　Width: 8.5cm
Thickness: 3cm
Qing Court Collection

黃雲緞裝裱的文具匣內裝有象牙計算尺、銅鍍金比例規、半圓規、鴨嘴筆等儀器。在匣盒面上有清宮所貼黃條墨書："十七號同比例尺半圓規矩墨夾八綫尺七件一匣"。從這件清宮遺墨的內容看，當年宮廷擁有的這類繪圖儀器數量相當多，至少已排到第十七號。

木盒套十五件繪圖儀器

清康熙

盒套長17厘米　寬7厘米

清宮造辦處

清宮舊藏

**15 pieces of drawing instruments
in a wooden case**
Made by the Workshops of Qing Court
Kangxi period, Qing Dynasty
Length of case: 17cm　Width: 7cm
Qing Court Collection

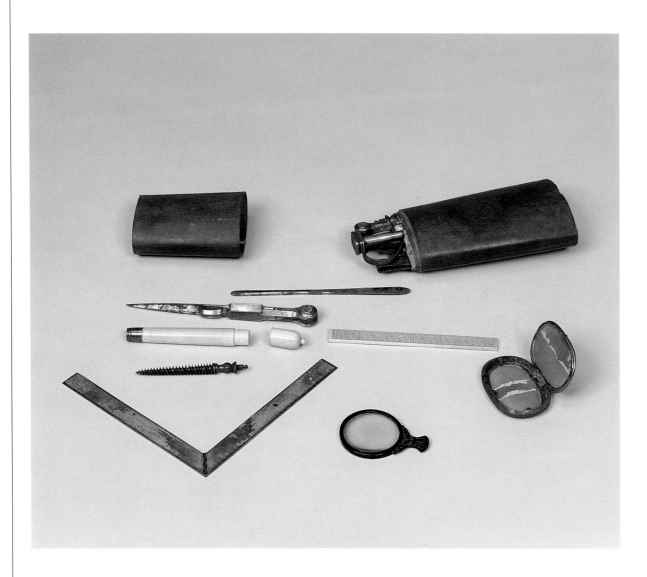

木盒套內裝繪圖儀器十五件，其中有象牙計算尺，長10厘米、寬1厘米；
摺叠角尺長11.2厘米；畫規長10.1厘米；玳瑁柄放大鏡，直徑3.5厘米。
還有適於野外作業的剪子、火鐮套（一種利用棉絨取火的工具）。

木盒套十一件繪圖儀器

清康熙

木盒長18.5厘米　寬5.5厘米　厚3厘米

清宮造辦處

清宮舊藏

**11 pieces of drawing instruments
in a wooden case**
Made by the Workshops of Qing Court
Kangxi period, Qing Dynasty
Length of case: 18.5cm　Width: 5.5cm
Thickness: 3cm
Qing Court Collection

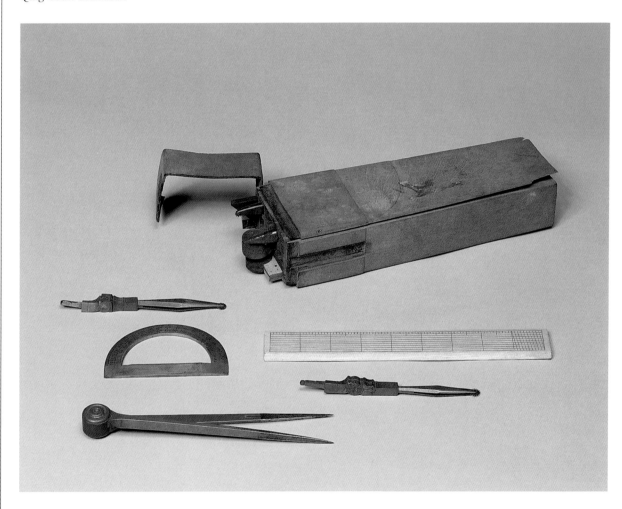

木盒套內裝繪圖儀器十一件。其中有象牙計算尺，長15厘米、寬2.3厘米；銅鍍金摺疊角尺長16.5厘米；半圓規徑4.5厘米；象牙比例規尺長16厘米、寬3厘米；畫規長12.7厘米。

牛皮套繪圖儀器
清康熙
套長12厘米　寬5.7厘米
清宮造辦處
清宮舊藏

Drawing instruments in an oxhide sheath
Made by the Workshops of Qing Court
Kangxi period, Qing Dynasty
Length of sheath: 12cm　Width: 5.7cm
Qing Court Collection

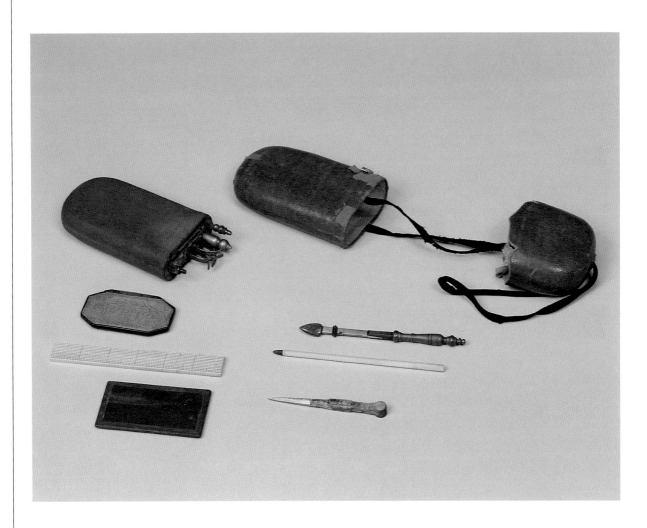

牛皮套內裝繪圖儀器十一件。其中有象牙計算尺，長9.5厘米；鴨嘴筆長9.5厘米；小黑板長5.5厘米、寬3.3厘米；象牙畫棒長9.5厘米；火鐮長5.2厘米、寬3厘米。這套繪圖儀器較為完整，適合於野外作業。

銀盒套繪圖儀器

清康熙

盒長9厘米　寬2厘米

清宮造辦處

清宮舊藏

Drawing instruments in a silver case
Made by the Workshops of Qing Court
Kangxi period, Qing Dynasty
Length of case: 9cm　Width: 2cm
Qing Court Collection

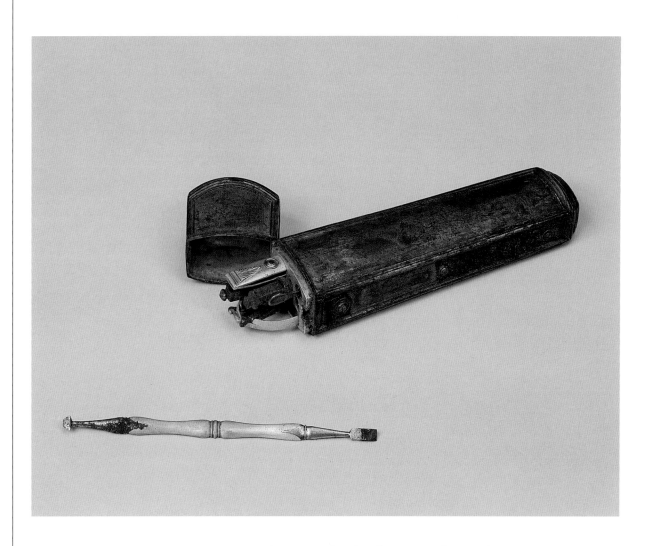

這是一組袖珍型繪圖儀器，內裝有卡尺、計算尺及小夾子、耳挖勺等用
具，共六件。其製作精巧，但實用價值不大，多作為贈送之物。

黑漆木胎盒繪圖儀器

18世紀

盒長20厘米　寬7.3厘米　厚2.2厘米

歐洲

清宮舊藏

**Drawing instruments in a black lacquer
wood-bodied case**
Made in Europe
18th century
Length of case: 20cm　Width: 7.3cm
Thickness: 2.2cm
Qing Court Collection

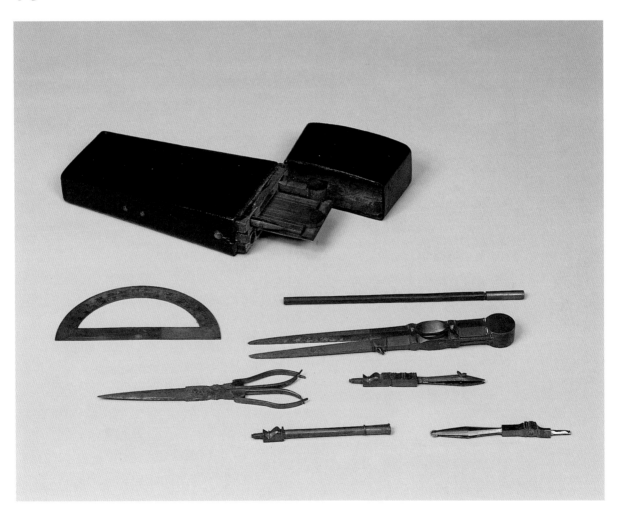

盒內裝繪圖儀器十一件，其中有半圓規長11厘米，畫規長18厘米，鴨嘴
筆長9厘米，還有各種尺子等。

木盒套繪圖儀器

18世紀

木盒長17厘米　寬7.5厘米　厚2.5厘米

歐洲

清宮舊藏

Drawing instruments in a wooden case
Made in Europe
18th century
Length of case: 17cm　Width: 7.5cm
Thickness: 2.5cm
Qing Court Collection

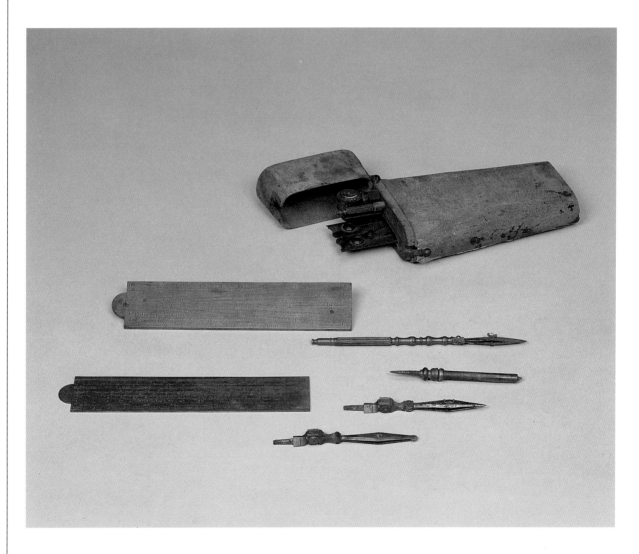

木盒套內裝繪圖儀器十一件。其中有伽俐略比例規、計算尺，各長16厘
米、寬3.5厘米；鴨嘴筆長14厘米；繪圖筆長8厘米；畫規長13厘米。

巴黎款繪圖儀器
18世紀
盒長32厘米　寬16厘米／9.5厘米／6.3厘米
法國巴黎
清宮舊藏

Drawing instruments with the mark "Paris" in three wooden cases
Made in Paris, France
18th century
Length of each case: 32cm
Respective width: 16cm/9.5cm/6.3cm
Qing Court Collection

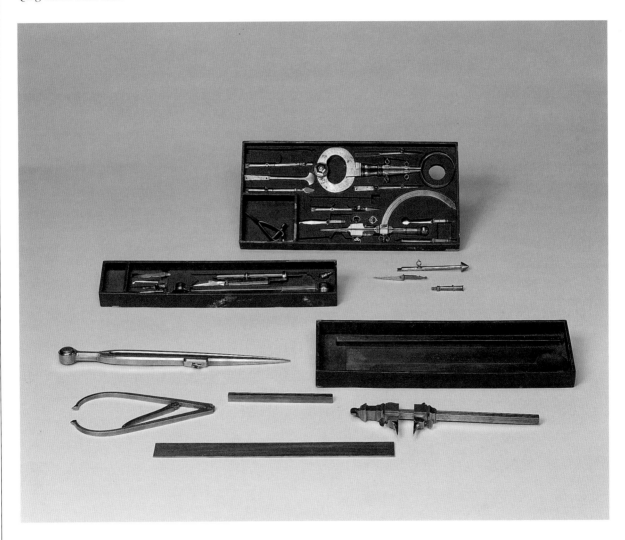

繪圖儀器放在三個木匣盒內，共計二十餘件。主要有銅鍍金卡鉗，長17厘米，為法國巴黎製造。銅鍍金卡尺，長22厘米。銅鍍金計算尺，長27.5厘米、寬28厘米。銅鍍金比例規長27.5厘米、寬5.8厘米。畫圓規長29厘米等。

鯊魚皮套銀質繪圖儀器

18世紀

套長9.5厘米　寬5厘米

歐洲

清宮舊藏

**Silver drawing instruments in a
sharkskin sheath**
Made in Europe
18th century
Length of sheath: 9.5cm　Width: 5cm
Qing Court Collection

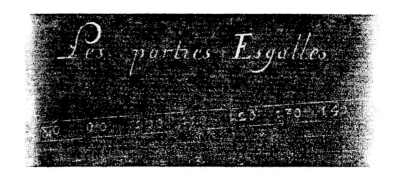

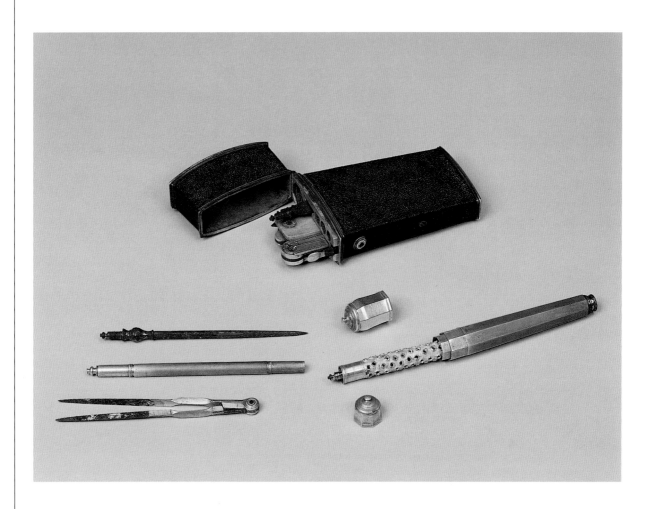

鯊魚皮套內裝有繪圖儀器十二件。其中有伽俐略比例規、計算尺、兩腳
規、繪圖筆及耳挖勺等。這是一組製作精美的小型繪圖儀器。

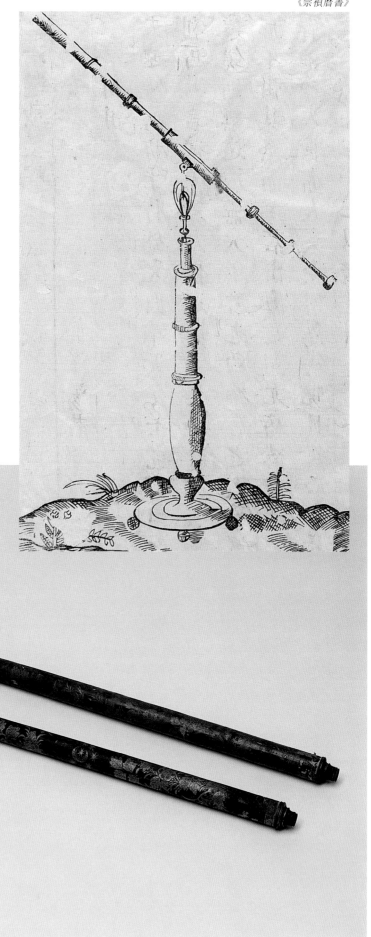

綠漆木質描金花望遠鏡

清初期
長99厘米
清宮造辦處
清宮舊藏

**Green lacquer wooden telescope
with gold floral design**
Made by the Workshops of Qing Court
The early Qing Dynasty
Length: 99cm
Qing Court Collection

1609年，意大利物理學家伽俐略製成的
以凸透鏡作物鏡，以凹透鏡為目鏡的折
射望遠鏡，世稱伽俐略式望遠鏡。這兩件
即屬此類。鏡筒口徑4厘米，物鏡徑2.6厘
米，目鏡徑1厘米。鏡筒身為木質，外罩綠
漆，繪紅花黃葉。

141

棕漆木質描金花望遠鏡

清初期

長99厘米

清宮造辦處

**Brown lacquer wooden telescope
with gold floral design**
Made by the Workshops of Qing Court
The early Qing Dynasty
Length: 99cm
Qing Court Collection

這兩件為單圓筒折射式望遠鏡。鏡筒身為木質,外罩棕漆,繪金花。物鏡徑2.6厘米,目鏡徑1厘米。

142

紅木二節望遠鏡

清中期

抽長57厘米　單長34.5厘米

清宮造辦處

清宮舊藏

Padauk two-section telescope
Made by the Workshops of Qing Court
The Mid-Qing Dynasty
Slide-out length: 57cm
Slide-in length: 34.5cm
Qing Court Collection

這兩件為單圓筒折射式望遠鏡,可抽拉二節筒,筒口徑4厘米,物鏡徑1.5厘米,目鏡徑0.5厘米。

143

紙質象牙口望遠鏡

清中期

抽長162厘米　單長50.5厘米

清宮造辦處

清宮舊藏

Paper-made telescope with ivory rim
Made by the Workshops of Qing Court
The Mid-Qing Dynasty
Slide-out length: 162cm
Slide-in length: 50.5cm
Qing Court Collection

此為單圓筒折射式望遠鏡，鏡筒身為紙質，外飾歐式描金花紋，目鏡孔口為象牙製作，由清宮造辦處與來華西方工匠合製。鏡筒徑6.5厘米，物鏡徑4.2厘米，目鏡徑1.1厘米。筒面附有清宮廷為保管方便書寫的黃簽："西洋花皮千里眼　四年十二月　九日"。

144

黑漆描金花七節望遠鏡

清中期

抽長250厘米　單長68厘米

清宮造辦處

清宮舊藏

Black lacquer seven-section telescope decorated with gold floral design
Made by the Workshops of Qing Court
The Mid-Qing Dynasty
Slide-out length: 250cm
Slide-in length: 68cm
Qing Court Collection

此件為單圓筒式折射望遠鏡，可抽拉七節。鏡筒身為木質，外飾黑漆描金花，筒口徑7.5厘米，物鏡徑2.7厘米，目鏡徑1.7厘米。

棕漆描金花五節望遠鏡

145

清中期

抽長207厘米　單長63厘米

清宮造辦處

清宮舊藏

Brown lacquer five-section telescope decorated with gold floral design
Made by the Workshops of Qing Court
The Mid-Qing Dynasty
Slide-out length: 207cm
Slide-in length: 63cm
Qing Court Collection

此件為單圓筒折射式望遠鏡，可抽拉五節。鏡筒身為木質，外飾棕漆描金花。鏡筒徑7.5厘米，物鏡徑2.7厘米，目鏡徑1.7厘米。

紅棕漆銅鍍金六節望遠鏡

146

18世紀

抽長103厘米　單長23厘米

英國倫敦

清宮舊藏

Gilt-copper six-section telescope painted with brown-redish lacquer
Made in London, England
18th century
Slide-out length: 103cm
Slide-in length: 23cm
Qing Court Collection

此件為單圓筒折射式望遠鏡，鏡筒身為銅鍍金質，外飾紅棕漆描金花色。筒徑6厘米，可抽拉六節，物鏡徑5厘米，目鏡徑1.2厘米，目鏡管處鑴英文："London"。這架望遠鏡配牛皮套，上附清宮當年所貼黃條墨書："大千里眼壹箇"。

棕漆皮銅鍍金六節望遠鏡

18世紀

抽長103厘米　單長23厘米

英國倫敦

清宮舊藏

Gilt-copper six-section telescope painted with brown lacquer

Made in London, England

18th century

Slide-out length: 103cm　Slide-in length: 23cm

Qing Court Collection

這件為單圓筒折射式望遠鏡，可抽拉六節，筒徑6厘米，物鏡徑5厘米，目鏡徑1.2厘米。望遠鏡的內節筒、物鏡圈和目鏡圈均為銅鍍金質，目鏡筒管處鑴英文："London"。外配牛皮套，附清宮當年所貼黃條墨書："大千里眼壹箇"。

紫漆鍍鉻望遠鏡
18世紀
長112厘米
英國倫敦
清宮舊藏

**Chrome telescope painted with
purple lacquer**
Made in London, England
18th century
Length: 112cm
Qing Court Collection

此件為單圓筒折射式望遠鏡，鏡筒身為銅胎鍍鉻，前半部外飾紫漆色。
筒徑6.5厘米，物鏡徑5.5厘米，目鏡徑1.3厘米。此鏡附三腳支架高50厘
米，配原裝紅木匣，匣長76厘米、寬19厘米、高10.3厘米。望遠鏡可從目
鏡管處卸下裝入紅木匣內。目鏡管上用英文刻有這件望遠鏡的級別和
品位："Kings Patent (國王專用) GILBERT (望遠鏡的製作人吉爾伯
特) LONDON"。

149

綠漆皮四節望遠鏡

18世紀

抽長94.5厘米　單長36.5厘米

英國倫敦

清宮舊藏

**Four-section telescope painted with
green lacquer**
Made in London, England
18th century
Slide-out length: 94.5cm
Slide-in length: 36.5cm
Qing Court Collection

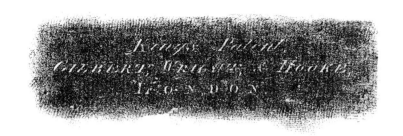

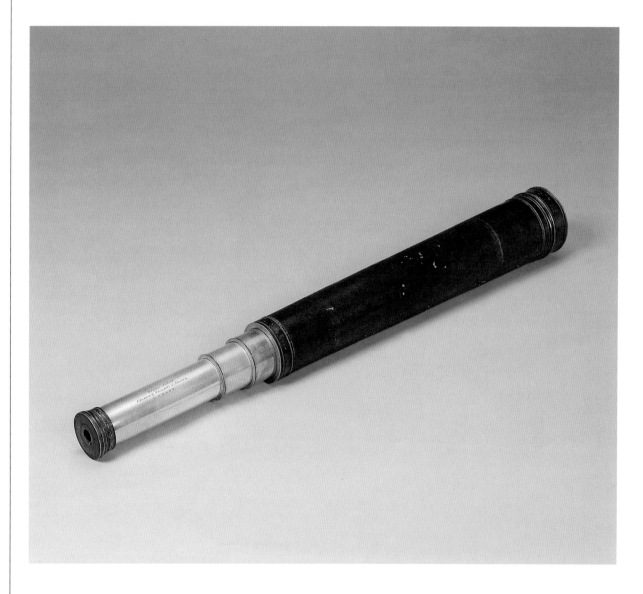

這件為單圓筒折射式望遠鏡，筒徑6厘米，物鏡徑6厘米，目鏡徑1.1厘米。望遠鏡可抽拉四節，其內節筒、物鏡圈、目鏡圈為銀質。在鏡筒目鏡管處鑴英文："Kings Patent (國王專用) 和GILBERT WRIGHT & HOOKE (製作者姓名) LONDON"。

168

150

橙漆銅鍍金四節望遠鏡

18世紀

抽長75厘米　單長22厘米

英國倫敦

清宮舊藏

Gilt-copper four-section telescope painted
with orange lacquer
Made in London, England
18th century
Slide-out length: 75cm
Slide-in length: 22cm
Qing Court Collection

此件為單圓筒折射式望遠鏡，可抽拉四節，鏡筒身為銅鍍金質，外飾橙漆色，筒徑4.6厘米，物鏡徑4.2厘米，目鏡徑0.9厘米。在鏡筒目鏡管處用英文刻有製作者姓名、產地及性能說明："Gilbert & Wright London Best Improved"。此望遠鏡附三腳支架和原裝紅木匣，匣面貼有清宮當年的黃條墨書："五號一小洋銅千里眼一件"。

銅鍍金條紋望遠鏡
18世紀
抽長58.5厘米　單長18.5厘米
英國倫敦
清宮舊藏

Gilt-copper telescope with stripes
Made in London, England
18th century
Slide-out length: 58.5cm
Slide-in length: 18.5cm
Qing Court Collection

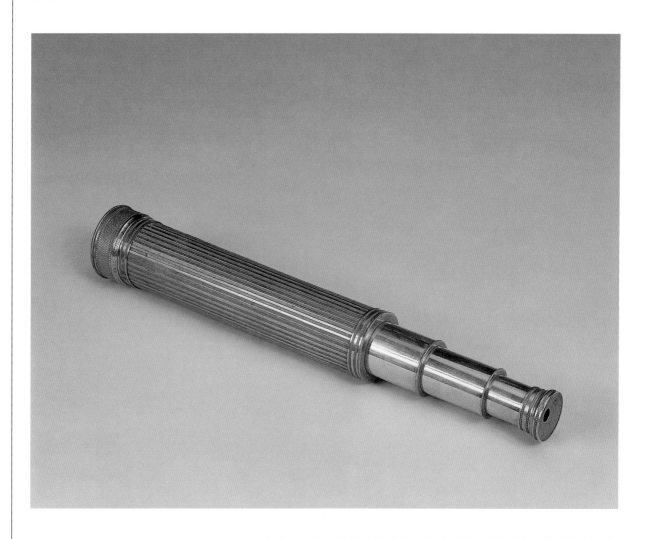

此件為單圓筒折射式望遠鏡,可抽拉四節,鏡筒身為銅鍍金質,筒徑4厘米,物鏡徑4厘米,目鏡徑0.4厘米。鏡筒目鏡管鑴製作者名"GILBERT"和產地"LONDON"。

銅鍍金嵌琺瑯望遠鏡
18世紀
抽長76.5厘米　單長22.5厘米
歐洲
清宮舊藏

Gilt-copper telescope inlaid with enamel
Made in Europe
18th century
Slide-out length: 76.5cm
Slide-in length: 22.5cm
Qing Court Collection

此件為單圓筒折射式望遠鏡，可抽拉四節，筒徑5厘米，物鏡徑5厘米，目鏡徑0.4厘米。筒面精工華麗，在銅鍍金的鏡身上鐫花卉鳥羽紋，並嵌有花、草、鳥、蝶等琺瑯彩飾。

銀質條紋望遠鏡

18世紀
抽長44.5厘米　單長16厘米
英國倫敦
清宮舊藏

Silver telescope with stripes
Made in London, England
18th century
Slide-out length: 44.5cm
Slide-in length: 16cm
Qing Court Collection

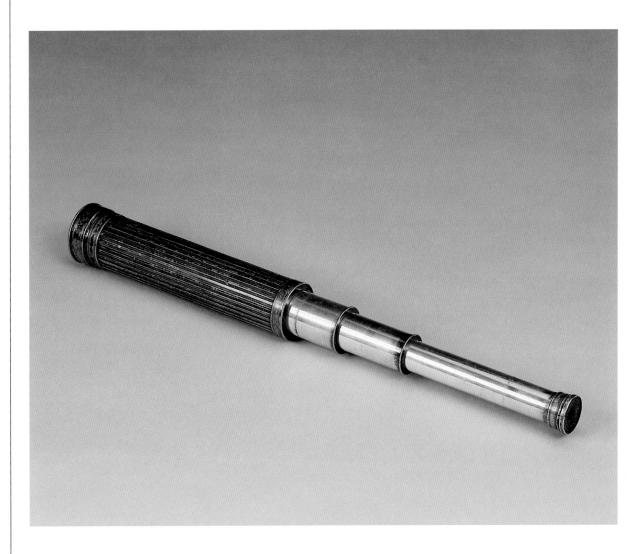

此件為單圓筒折射式望遠鏡，可抽拉四節，鏡筒為銀質，筒徑3.5厘米，物鏡徑3厘米，目鏡徑0.6厘米。鏡筒目鏡管鐫製作者名 "GILBERT" 和產地 "LONDON"。

銀嵌琺瑯二節望遠鏡
18世紀
抽長20.5厘米　單長13厘米
歐洲
清宮舊藏

**Silver two-section telescope inlaid
with enamel**
Made in Europe
18th century
Slide-out length: 20.5cm
Slide-in length: 13cm
Qing Court Collection

此件為單圓筒折射式望遠鏡，可抽拉二節，筒徑3.5厘米，物鏡徑2.5厘
米，目鏡徑1.2厘米。望遠鏡筒為銀質，筒身飾燒藍琺瑯，面飾鏨銀花葉
和孔雀羽紋。其物鏡上罩有嵌羅盤儀的鏡蓋，指南針指針完好，表盤圍
標"N NE E SE S WS W WN"字母，表示八個方位。

銅鍍金嵌玻璃珠望遠鏡

清中期

抽長28.5厘米　單長17厘米

清宮造辦處

清宮舊藏

Gilt-copper telescope inlaid with glass pearls
Made by the Workshops of Qing Court
The Mid-Qing Dynasty
Slide-out length: 28.5cm
Slide-in length: 17cm
Qing Court Collection

此件為單圓筒折射式望遠鏡，可抽拉二節，筒徑2.5厘米，物鏡徑2厘米，目鏡徑1厘米。鏡筒為銅鍍金質，筒身鏨捲草紋飾，在物鏡和目鏡邊緣處嵌有紫紅色或紅綠相間的小玻璃珠圈，物鏡和目鏡處附銅片罩住以防塵。

銀質三節望遠鏡
18世紀
抽長51厘米　單長23厘米
歐洲
清宮舊藏

Silver three-section telescope
Made in Europe
18th century
Slide-out length: 51cm
Slide-in length: 23cm
Qing Court Collection

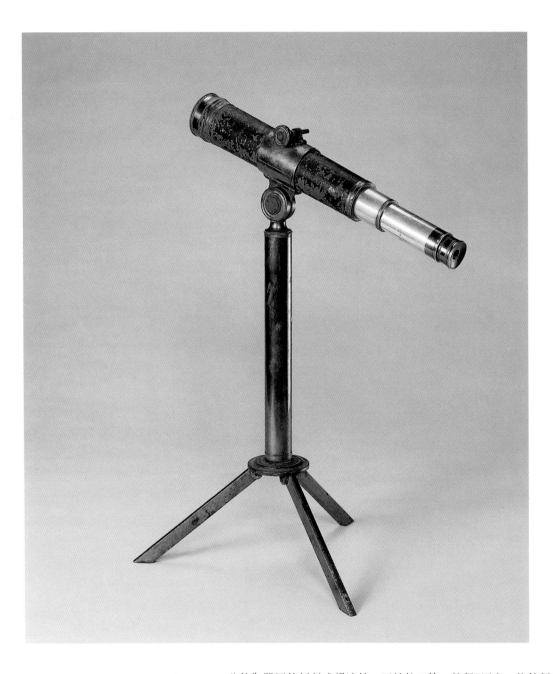

此件為單圓筒折射式望遠鏡，可抽拉三節，筒徑5厘米，物鏡徑4.2厘
米，目鏡徑1厘米。附有銀質三角支架，高48厘米。

木製六棱形天文望遠鏡

18世紀
長200厘米
歐洲
清宮舊藏

Hexahedral wooden astronomical telescope
Made in Europe
18th century
Length: 200cm
Qing Court Collection

此件為單筒折射式望遠鏡，筒徑8.5厘米，物鏡孔口周圍圈黑色硬紙殼，殼內物鏡徑2.5厘米，目鏡處周圍圈四層疊狀黑色硬紙殼，目鏡徑2.5厘米。鏡筒為六面棱角形狀，每面髹淺棕紅色漆，上鏨黑色西蕃花草葉紋飾。觀測景物成倒像，乃採用德國天文學家開普勒式折射望遠鏡的光路系統製成。

這架木製六棱形天文望遠鏡筒下置紅木架，長77厘米、寬34厘米、高147.5厘米，架下設四個紅木輪，便利前行後退，架上有四個滑輪和四個手搖木柄，能控制鏡筒上下活動，以選擇最佳觀測角度。圖中這個紅木架子是由出生於德國，於1758年遷居英國的天文學家威廉·赫歇爾（Sir. William Herschel）所製作。

銅鍍金反射望遠鏡

18世紀

長74厘米

英國倫敦

清宮舊藏

Gilt-copper reflecting telescope
Made in London, England
18th century
Length: 74cm
Qing Court Collection

在伽俐略式望遠鏡行時了一段時間後,德國天文學家開普勒 (Johnnes Kepler 1571−1630年) 又將望遠鏡的凹透目鏡改造為小凸透目鏡,儘管所成像為倒像,但可獲及較大的視場,有利於天文觀測。不過,由於不同顏色的光有不同的折射率,白光通過透鏡後便產生出各種顏色的光斑,即色差,影響觀測效果。17世紀的科學家經過不斷探索,找出了克服這一弊端的辦法,將折射望遠鏡改為反射望遠鏡。反射望遠鏡的光路各有不同,如英國天文學家格雷果里 (James Gergory) 和德國物理學家卡塞格林 (Cassegrain) 在製作反射望遠鏡時分別採用了不同的光學系統,因此,反射望遠鏡也就有了格雷果里式和卡塞格林式等

的區別。此件即屬單圓筒格雷果里式反射望遠鏡,筒徑11厘米,物鏡徑10厘米,目鏡孔徑0.3厘米。鏡筒左側上置一長31.5厘米、筒徑2厘米的尋星鏡,在筒右側裝有調節螺絲鈕,是調節目鏡對準焦距的設備。在鏡筒目鏡管處鐫英文:"DYEFINCH COMHILL LONDON"。此鏡筒附銅鍍金三角支架,高45厘米。

《皇朝禮器圖式·卷三》

棕漆銅鍍金反射望遠鏡

18世紀

長48厘米

歐洲

清宮舊藏

**Gllt-copper reflecting telescope painted
with brown lacquer**
Made in Europe
18th century
Length: 48cm
Qing Court Collection

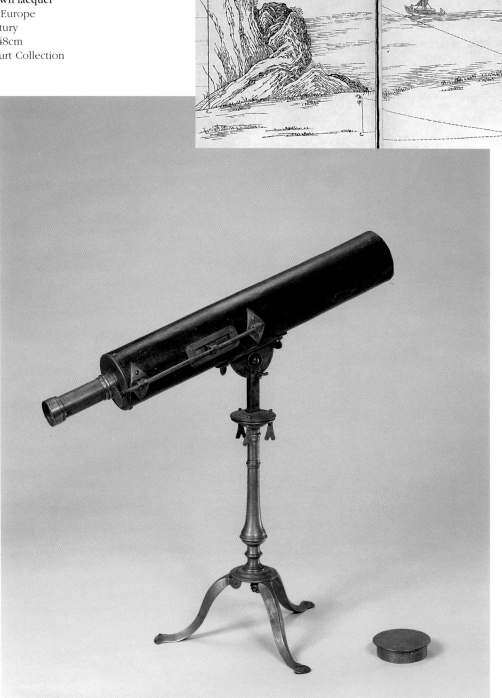

此件為單圓筒格雷果里式反射望遠鏡，筒徑6.5厘米，物鏡徑6厘米，目
鏡孔徑0.2厘米。鏡筒右側裝有調節目鏡焦距鈕，附銅鍍金三角支架，
高41.5厘米。

紫漆描金花反射望遠鏡
清中期
長81厘米
清宮造辦處
清宮舊藏

**Purple lacquer reflecting telescope with
gold floral design**
Made by the Workshops of Qing Court
The Mid-Qing Dynasty
Length: 81cm
Qing Court Collection

此件為單圓筒格雷果里式反射望遠鏡，筒徑11.5厘米，物鏡徑10.2厘米，目鏡徑3厘米，附三角支架高51厘米。在鏡筒與支架軸承處銅鍍金板上鏨有二夔龍紋飾，在故宮藏望遠鏡中有龍形紋飾的僅此一件。

銅鍍金天文望遠鏡

19世紀

長160厘米

英國倫敦

清宮舊藏

Gilt-copper astronomical telescope
Made in London, England
19th century
Length: 160cm
Qing Court Collection

此件為單圓筒折射式天文望遠鏡，筒徑12厘米，物鏡徑9.5厘米，為克服色差由凸凹兩塊透鏡組合成。目鏡筒管4.5厘米，目鏡孔1厘米。在鏡筒左側上方安裝一長25厘米、筒徑4厘米的尋星鏡。在鏡筒目鏡管筒處鐫有製作者名及產地 "NEGRETTL & ZAMBRA LONDON"。此鏡又安裝在一高196厘米的三角形木支架上，觀測時可左右轉動，上下升降。此支架軸承鐵架左側有："永昌上海HIRSBRUNNER & CO SHANGHAI"；右側有："NEGREITL & ZAMBRA LONGON"。

銅鍍金香港款天文望遠鏡
19世紀
長128厘米
香港
清宮舊藏

**Gilt-copper astronomical telescope marked
with "Hong Kong"**
Made in Hong Kong
19th century
Length: 128cm
Qing Court Collection

此鏡為單圓筒折射式望遠鏡，筒徑11厘米，物鏡徑8.5厘米，由兩塊凸凹透鏡組成，目鏡孔口0.7厘米，安裝在26厘米長的銅鍍金管筒上，管筒可隨鏡筒右側調節焦距鈕伸縮。在鏡筒左側上方裝有長26厘米、筒徑4厘米的尋星鏡。此鏡筒附三角形銅鍍金支架高66厘米。望遠鏡目鏡管處鑴英文："C·J·GAUPP HONG KONG"。

銅聚光鏡
18世紀
鏡直徑30.5厘米
歐洲
清宮舊藏

Copper condensing lens
Made in Europe
18th century
Lens diameter: 30.5cm
Qing Court Collection

銅質，鏡面凹形 (但內面已失)，可聚光，
附飾歐式花紋木架一個，高132厘米。

1679年，法國科學家馬里奧特 (Edme
Mariotte) 發現當把火放在凹形金屬聚光
鏡前，再把手放到由聚光鏡形成的火的
焦點上時，焦點上的熱度最高，而用一塊
透明玻璃將火遮擋時，焦點處的熱度下
降。於是最早證明了火的輻射熱與光的
傳播是相分離的。這件聚光鏡是17世紀
下半葉物理學這一新發現在中國宮廷中
的回應。

傅科擺模型
19世紀
通高34.5厘米
歐洲
清宮舊藏

Model of Foucault pendulum
Made in Europe
19th century
Overall height: 34.5cm
Qing Court Collection

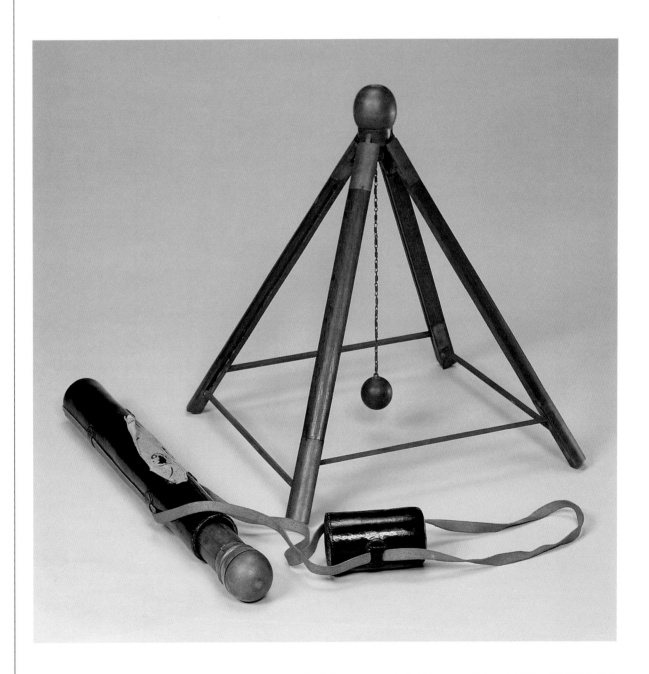

此儀器為教學用具，由四根立柱組成，合攏呈一圓柱形，附黑漆皮筒盒
長44厘米，筒徑4.3厘米。使用時先將四根立柱打開呈四邊形，中間吊
垂一直徑3厘米的銅實球，可沿圓弧作往復運動，用以證明地球自轉運
動的道理。

鐘表類

*Types of Clocks
and Watches*

近代機械鐘表是歐洲發明的。歐洲最早的機械鐘表出現於14世紀。其最重要的部分有二：一是動力及轉動裝置，一是擒縱裝置。前者包括驅使鐘表走時的力源及傳送這種力的大小齒輪；後者則是通過自身的擒縱收放控制力源均勻發力，並控制冠輪、機軸和鐘擺運動。使鐘表走時準確，有沒有擒縱裝置，是區分機械鐘表和其他計時工具的標誌。

為了謀求更高的準確性，各國鐘表師對鐘表的主要部分不斷進行改進。在動力源方面，大約1510年左右，德國鐘表匠彼得·希勒 (Peter Hele) 將重錘改為盤簧，亦即發條。發條的發明為鐘表向小型化發展創造了條件。而在擒縱裝置方面，1583年，意大利物理學家伽俐略發現了"擺"的等時性原理。根據這一發現，1657年荷蘭數學家惠更斯 (Christian Huygens) 將擺用作鐘表的調節器，發明了擺鐘，鐘表的走時精確度大大提高。

西方機械鐘表最早傳入中國是在16世紀，由於它的新奇，一開始便受到中國皇帝的垂愛。直至清代，皇宮中收藏了大量機械鐘表。同時，中國自己也開始製作機械鐘表，並由最初的仿製逐步形成了自己獨特的風格。

故宮所藏鐘表大體上可以分為外國製造和中國製造兩類。

外國鐘以英國和法國為主。英國鐘常根據需要做成各種建築、景觀、人物、禽獸形狀，並配以水法、轉花、跑人等機械玩具，外表大量鍍金，以各色料石鑲嵌花草，給人以賞心悦目、金碧輝煌之感；法國鐘則製造質樸，具有齒輪變動裝置，形式上多反映近代科學的發展成果，如汽球鐘、火車鐘、輪船鐘、燈塔鐘等，既是計時工具，又是科普模型。此外，故宮也有收藏瑞士、德國、日本等國的鐘表。

中國鐘最具特色的要數清宮造辦處、廣州、蘇州三地的產品。清宮造辦處內有造鐘處，專門負責為皇帝製作御用鐘。由於有雄厚的物力財力，加之皇帝的干預，使造鐘處的鐘表極具皇家特色。其製作體大、料實，明確的年代標識、明擺等都是造鐘處鐘表的特點。在外觀上，造鐘處鐘表多以紫檀木雕刻成樓台亭榭的建築式樣，表現出莊嚴尊貴、富麗堂皇的皇家氣派。廣州鐘表的造型多為亭、台、樓、閣、塔等建築，或葫蘆、花盆、花瓶等日用器皿，鐘殼多是色彩艷麗、光澤明亮的各色銅胎廣式琺瑯，並帶有複雜的、可表現吉祥寓意的機械變動裝置，如"羣仙祝壽"、"龍鳳呈祥"、"白猿獻壽"、"雙鹿呈祥"等，具有相當高的技術水平。蘇州鐘表的品種有擺鐘、圓擺鐘、三套鐘、鳥音籠等，其中以木製插屏鐘最著名。此外，南京、上海等地的鐘表製作也達到了很高水平，其產品在清宮中亦有收藏。

銅鍍金人指時刻分鐘

18世紀

面寬60厘米　高140厘米　厚50厘米

英國

清宮舊藏

**Gilt-copper clock decorated with figures
pointing to the hours, quarters and minutes**
Made in England
18th century
Width: 60cm　Height: 140cm
Thickness: 50cm
Qing Court Collection

此鐘共分三層。底層為樂箱，正面為由水法和活動人物組成的佈景箱，後面為時盤。樂箱平台前、後各有三個圓墩，前面三個圓墩上分別放置時、分、秒盤，盤中心各立一持杆人，用杆指向盤面上的時間刻度。後面三個圓墩上分坐持槍獵人，眼可左右巡視。一層平台中心是七隻龍頭組成的水法；二層平台中心為四條游魚組成的水法景觀；三層涼亭內有一持錘報時人，頂端站立一吹號人，可左右轉動。

此鐘只有一個動力源，通過齒輪傳動系統帶動所有的活動裝置。作者為英國倫敦的鐘表師William Vale。

銅鍍金象馱轉蛇轉花樂表

18世紀

寬69厘米　高124厘米　厚62厘米　表徑5.5厘米

英國

清宮舊藏

Gilt-copper musical watch decorated with revolving snakes and flowers on elephant's back

Made in England

18th century

Width: 69cm　Height: 124cm

Thickness: 62cm　Watch diameter: 5.5cm

Qing Court Collection

這座鐘以發條、塔輪、鏈條為動力源，分別帶動走時、打點、活動景觀和音樂等活動裝置。機器安置在瓶腹中，瓶口處嵌有一針小表。上弦後，鈴敲樂起，象背上花架內漆畫人物轉動，四條蛇首尾相銜似游動狀，塔上蛇身纏繞的料石花及瓶腹五朵花卉均隨音樂轉動。象馱寶瓶寓意清代吉祥成語"太平有象"。

167

銅鍍金月球頂人打樂鐘

18世紀

面寬49厘米　高102厘米　厚30厘米

英國

清宮舊藏

Gilt-copper clock decorated with an automatical revolving
moon on the top and a figure striking musical bells
Made in England
18th century
Width: 49cm　Height: 102cm　Thickness: 30cm
Qing Court Collection

在銅鍍金底座上的敲鐘人分擊左、右兩邊，兩邊各有九個鐘碗，爬滿花蔓的圓柱上支架着鑲嵌料石的圓鐘。大鐘盤內所含的兩個小盤分別指示分和秒。

此鐘獨特之處在於鐘頂上安裝有半藍半白的月球，可隨着時間的變化而轉動。每逢陰曆朔日（初一），月球開始按逆時針方向轉動，到望日（十五）球為滿白，到晦日（月滿）則變為滿藍。整個月球表面有三十條經綫，時鐘每走二十四小時，經綫轉動一條，從而準確地表示朔、望日。

此鐘共有三組動力源，一組在底座上，負責敲鐘人打樂。另兩組在鐘體內，負責走時、報時及月球轉動。

銅鍍金四象馱樂箱跑人犀牛表

18世紀

寬84厘米　高127厘米　厚64厘米　表徑7厘米

英國

清宮舊藏

**Gilt-copper watch above the rhinoceros on
a musical box carried by four elephants**
Made in England
18th century
Width: 84cm　Height: 127cm
Thickness: 64cm　Watch diameter: 7cm
Qing Court Collection

這件鐘表的機械控置系統裝在四象所馱的樂箱後半部。時鐘有走時、
打點功能。啟動開關後，音樂奏響，樂箱內風景畫中的人物轉動，四角
及上頂花、葫蘆上的裝飾也隨音樂旋轉。

銅鍍金少年牽羊鐘

18世紀
寬54厘米　高95厘米　厚37厘米　鐘面直徑15厘米
英國倫敦
清宮舊藏

Gilt-copper clock decorated with a boy leading a sheep
Made in London, England
18th century
Width: 54cm　Height: 95cm
Thickness: 37cm　Clock diameter: 15cm
Qing Court Collection

這件鐘的底層內裝有控制音樂及活動景物的機械系統。底層正面有三個表盤，中間為三針鐘，上弦後可報時；左邊為調換樂曲盤，盤上1、2、3、4、5、6、7、8表示可供選擇的八種不同曲目。表盤指針與音樂機械相連，指針的撥動牽引棘滾移位，每移一下就變換一首曲目；右邊是控制樂曲的起止盤。活動景觀在鐘座兩側。在樂曲伴奏下，兩邊簾幕三起三落。右邊簾捲起，內有"鬥雞"之戲，背景畫變換三次；左邊簾捲起，有馬車跑動、小花旋轉。

此鐘上刻製造人名"ROBT WARD"。

銅鍍金象拉戰車表
18世紀
長136厘米　高72厘米　表面直徑10厘米
英國
清宮舊藏

**Gilt-copper watch inlaid on a chariot drawn
by an elephant**
Made in England
18th century
Length: 136cm　Height: 72cm
Watch diameter: 10cm
Qing Court Collection

此表為雙面表，嵌在一輛機械玩具戰車上，它的走時功能由表內自身
發條控制。整個戰車另有四組發條齒輪系統。第一組在象腹內，可使象
的眼睛睜閉，眼球轉動，耳朵扇動，鼻子上下左右伸捲，尾巴搖擺。象腹
下有一小輪，控制戰車的運行軌迹。第二組在戰車前部的銅筒內，與象
腹下的小輪相連，向前驅動大象，帶動車箱，是戰車的主動力源。第三
組在戰車中部的方箱內，可使箱上的指揮官身體左右轉動。第四組在
戰車後部車箱內，是一台小型八音盒。

若開動戰車，需先將象、銅筒、方箱、車箱內的齒輪系統的發條上滿，再
依次啟動。戰車在樂聲中沿着2米左右的圓周軌道行駛，同時象的眼、
耳、鼻、尾及指揮官均活動，是一件精美的藝術性計時器。

銅鍍金少年園丁鐘

18世紀

寬32厘米　高82厘米　厚28厘米　鐘徑10厘米

英國

清宮舊藏

**Gilt-copper clock decorated with
a juvenile gardener**
Made in England
18th century
Width: 32cm　Height: 82cm
Thickness: 28cm　Clock diameter: 10cm
Qing Court Collection

這件鐘表裝有走時、打點、音樂轉動三套
機械系統。底層為樂箱，正面是鐘盤，鐘
盤上除時針與分針外，在頂端和底邊還
各有兩枚指針，能控制音樂的起止和演
奏的速度。箱後有調換六首樂曲的曲盤，
箱兩側圓框內是歐洲鄉村風景畫。箱上
有一半蹲半跪少年，從他腳旁放置的鐵
鍬和噴壺可知這是一位園丁。他右手持
花，左手扶頭上花盆，似在向鐘表的主人
進獻他培植的花草。花盆上有兩隻鑲嵌
玻璃料石的蝴蝶。此鐘為英國倫敦馬瑞
奧特 (Marriott) 製造。

銅鍍金三人打樂鐘

18世紀

面寬35厘米　高78厘米　厚20厘米

英國

清宮舊藏

Gilt-copper clock decorated with three
children striking musical bells
Made in England
18th century
Width: 35cm　Height: 78cm
Thickness: 20cm
Qing Court Collection

鐘座正面為三針時鐘。鐘座上屏風前跪
立的三小兒前面各有一組鐘碗，鐘碗被
鏤空金色花所遮掩。當機械啟動後，屏風
頂端的七朵小花在自轉的同時，圍繞中
心花轉動，鐘碗前的金色鏤空花轉動，兒
童敲打鐘碗伴奏。全鐘有兩套發條動力
源，一套控制走時，一套控制轉花等活
動。

銅鍍金印度樂師擊樂鐘

18世紀

寬37厘米　高83厘米　厚37厘米　鐘徑19厘米

英國倫敦

清宮舊藏

**Gilt-copper clock decorated with an Indian
musician striking musical bells**
Made in London, England
18th century
Width: 37cm　Height: 83cm
Thickness: 37cm　Clock diameter: 19cm
Qing Court Collection

這件鐘有走時、打點與音樂及活動景觀三套系統。鐘盤上的三個小圓
盤上為陰曆計時盤，左為走時盤，右為走分盤，正中心的大針為秒針。
鐘匣上，在四個印度人像托舉的華蓋下，神情自若的印度樂師作演奏
準備狀，機械啟動後，樂師奏出音節不同的鐘鈴，兩側水法隨之轉動。

174

銅鍍金山子座站人小座鐘

18世紀

寬26厘米　高55厘米　厚26厘米　鐘徑5厘米

英國倫敦

清宮舊藏

Gilt-copper desk clock decorated with a rock pedestal and figures
Made in London, England
18th century
Width: 26cm　Height: 55cm
Thickness: 26cm　Clock diameter: 5cm
Qing Court Collection

這件鐘有走時、打點和音樂及活動景觀三套機械系統。銅鍍金岩石座上嵌一個二針鐘表，樂箱設在鐘後。鐘的上端有懸掛華蓋的棕櫚樹，樹下是身挎戰刀的指揮官。機械開動，指揮官左右觀望，原地轉動，似在百倍警惕地執行自己的守護使命。

175

銅鍍金亭式番人進寶鐘

18世紀
寬34厘米　高65厘米　厚28厘米　鐘徑9厘米
英國
清宮舊藏

**Gilt-copper pavilion-shaped clock decorated
with a barbarian presenting treasures**
Made in England
18th century
Width: 34cm　Height: 65cm
Thickness: 28cm　Clock diameter: 9cm
Qing Court Collection

這件鐘的底層外飾藍琺瑯嵌銅鍍金花，
內置走時、打點、活動景觀和音樂四套機
械裝置。正中間有一大二小三個表盤，小
盤中一個為止打樂盤，一個為選擇音樂
的指示盤，大盤為可走時、打點的時鐘。
機器開動後，在音樂聲中，頂部方亭內戲
獅人的左臂及獅子頭尾晃動，亭頂轉花
也隨之旋轉。

銅鍍金轉人鐘

18世紀
寬38厘米　高65厘米　厚18厘米　鐘徑6.5厘米
英國
清宮舊藏

Gilt-copper clock with revolving figures
Made in England
18th century
Width: 38cm　Height: 65cm
Thickness: 18cm　Clock diameter: 6.5cm
Qing Court Collection

這件鐘裝有走時、打點、音樂及活動景觀
三套機械系統。它的開放設置比較隱蔽，
藏在雕花瓶心的中心花內。上弦後鐘表
走時打點，瓶心風景畫中人物、鴨子、水
法轉動。

銅鍍金轉人亭式大鐘

18世紀

寬91厘米　高117厘米　厚91厘米

鐘徑7.4厘米

英國倫敦

清宮舊藏

Large gilt-copper clock in the shape of a pavilion with revolving figures
Made in London, England
18th century
Width: 91cm　Height: 117cm
Thickness: 91cm　Clock diameter: 7.4cm
Qing Court Collection

這件時鐘有走時、活動景物和上層風車三套控制系統。當機械開啟後，一層風景人物和二層的士兵交替旋轉；再啟動三、四層的控制系統，三層的料石花、四層的風輪及鐘頂的圓球、飛鷹開始轉動。

201

銅鍍金規矩箱表

178

18世紀
寬54厘米　高95厘米　厚37厘米　表徑5厘米
英國倫敦
清宮舊藏

Gilt-copper watch in the shape of a dressing table
Made in London, England
18th century
Width: 54cm　Height: 95cm
Thickness: 37cm　Watch diameter: 5cm
Qing Court Collection

這是件梳妝台式鐘表，有音樂、活動景物
和計時兩套系統。表在"規矩箱"的頂端，
由背面弦孔上弦。活動景物及音樂的機
械裝置在"規矩箱"後半部。箱前半部上
下各有一門，上門的三格裏，左、右放香
水瓶及剪刀、眉筆等化妝用具；下門裏繪
風景畫，人物活動其間。上弦啟動後，音
樂奏響，齒輪牽引固定在細綫上的人物
往復走動，上門中格的彩色料石柱也隨
之轉動。

此表上刻製造人名"James cox"。

玳瑁樓嵌料石銀花樂鐘
18世紀
面寬24厘米　高48厘米　厚16厘米
英國
清宮舊藏

Pavilion-shaped musical clock inlaid with hawksbill turtle,
pastes and silver flowers
Made in England
18th century
Width: 24cm　Height: 48cm　Thickness: 16cm
Qing Court Collection

木胎鑲玳瑁片的樓式鐘表正面為二針鐘盤，鐘盤下方左右的小盤分別
為止打樂盤和選曲盤。鐘盤上為立體漆畫佈景，內有活動人物。下層為
裝有機械裝置的鐘箱。上弦後，在樂曲聲中佈景內人物跑動，上層窗格
中人物列隊而行。全鐘共有三套發條機械動力源，分別負責走時、打樂
及人物活動。鐘上刻有作者英國倫敦的鐘表師"Edward Wicksteed"
之名。

木樓嵌銅紋木哨樂鐘

18世紀
寬37厘米　高89厘米　厚37厘米　鐘徑10厘米
英國
清宮舊藏

**Wooden building-shaped musical clock inlaid
with copper floral design**
Made in England
18th century
Width: 37cm　Height: 89cm
Thickness: 37cm　Clock diameter: 10cm
Qing Court Collection

此鐘為烏木質，有走時、打點、音樂及活動景觀三套系統。開動機器後，鐘表走時，帶動氣袋和棘滾動作，將長短粗細不一的木哨舌簧打開，使氣流進入木哨，發出優美的樂聲。表上畫面內人物及風車、動物隨之轉動。此鐘上鐫刻製造人名 "James Newton"。

瓷雕飛仙人座鐘

18世紀
寬23厘米　高43厘米　厚14厘米
英國
清宮舊藏

**Porcelain desk clock carved with
flying female celestial**
Made in England
18th century
Width: 23cm　Height: 43cm　Thickness: 14cm
Qing Court Collection

瓷質鐘體在清宮的鐘表收藏中極為少
見。這件鐘表嵌在瓷花瓶腹正中。瓶口坐
一少女，手扶花籃，體態優雅，愛神丘比
特飛繞上下，富於動感。此鐘只有一組動
力機械裝在瓶中，控制鐘表的走時。作者
為英國倫敦的鐘表師"William Howes"。

銅鍍金馬馱水法鐘
18世紀
寬56厘米　高124厘米　厚51厘米
鐘徑16厘米
英國
清宮舊藏

**Gilt-copper clock decorated with
waterfall on a horse's back**
Made in England
18th century
Width: 56cm　Height: 124cm
Thickness: 51cm　Clock diameter: 16cm
Qing Court Collection

此鐘為銅鍍金質，內有走時、打點打刻、
音樂及活動景物四套機械系統。花架上
一對仙鶴承舉着二針鐘，鐘盤上的一小
盤為計秒盤。啟動開關，底層景內人物行
走，船隻航行，上層花架中騎馬人奔跑，
頂端塔形轉花徐徐轉動。上下水法似瀑
布直瀉。

183

銅鍍金山子鸚鵡鐘

18世紀

寬65厘米　高78厘米　厚42厘米　鐘徑14厘米

英國

清宮舊藏

Gilt-copper clock in the shape of rockery decorated with a parrot
Made in England
18th century
Width: 65cm　Height: 78cm
Thickness: 42cm　Clock diameter: 14cm
Qing Court Collection

這件鐘有走時、打點、音樂及活動景觀三套機械系統。三針鐘嵌在假山石座正中，山間飛禽走獸，還有水中的貝殼、螺螄。山腳下洞中設有水法，水柱直瀉進玻璃造成的水池內。機器開動後，池水流動，鸚鵡展翅，於正點山頂上棕櫚樹叢中的小人敲鐘報時。

銅鍍金四象馱跑人日曆表

18世紀

寬49厘米　高72厘米　厚49厘米　表徑8厘米

英國

清宮舊藏

**Gilt-copper calendar clock above a musical
box carried by four elephants**
Made in England
18th century
Width: 49cm　Height: 72cm
Thickness: 49cm　Clock diameter: 8cm
Qing Court Collection

這件銅鍍金質鐘底層為四象背負的樂箱，內安活動的英國鄉村風光畫
片，兩隻怪獸高舉的大鐘盤上，除中心秒針外，還配有四個小盤，上盤
走時，左盤為陰曆計日，右盤走分，下盤計秒，標有1、2、3、4，表明一圈
走四秒，秒針不停地跳動。開啟後，底層樂箱音樂響起，景觀人物跑動，
中部兩層人物往相反方向轉動，四角花轉動。

銅鍍金孔雀開屏鐘

18世紀

寬34厘米　高59厘米　厚16厘米　鐘徑11厘米

英國倫敦

清宮舊藏

**Gilt-copper clock decorated with
a peacock in his pride**
Made in London, England
18th century
Width: 34cm　Height: 59cm
Thickness: 16cm　Clock diameter: 11cm
Qing Court Collection

鐘底層是樂箱，活動景物和音樂的機械裝置在其中。啟動後，在音樂的伴奏下孔雀左右扭動軀體，伴以展翅、擺尾、開屏。山石下左側有羊左右搖頭，右側有羊作咀嚼狀。架在兩柱間的三針鐘可走時、報時，每逢整點，表端亭中報時人持銅錘敲擊鐘碗。

此鐘由"William Son"製造。

銅鍍金嵌瑪瑙水法規矩箱表

18世紀

面寬22厘米　高26厘米　厚22厘米

英國

清宮舊藏

**Gilt-copper case-shaped watch inlaid with
agate and decorated with waterfall**
Made in England
18th century
Width: 22cm　Height: 26cm
Thickness: 22cm
Qing Court Collection

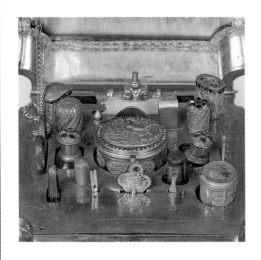

這件鐘表整體為箱式結構，箱蓋上面正
中嵌小表一塊。箱內有刀、剪、錐、鼻煙
壺、望遠鏡、玻璃鏡、夾子等各種小型實
用工具，共二十二件。箱正面中間為佈景
畫。箱體內下半部為以發條為動力源的
機械裝置，機器開動後，樂箱奏樂，佈景
畫內的水法轉動。

銅鍍金轉花轉人水法鐘

18世紀

寬53厘米　高105厘米　厚53厘米　鐘徑9厘米

英國

清宮舊藏

**Gilt-copper clock with the decoration of
revolving waterfall, flowers and figures**

Made in England

18th century

Width: 53cm　Height: 105cm

Thickness: 53cm　Clock diameter: 9cm

Qing Court Collection

這件鐘有走時、打點、音樂、活動景觀及
水法四套機械系統。梯形底座內為樂箱。
鐘的裝飾極為繁複,堆山石上站立的四
隻大象馱着四層水法轉花鐘,一層中間
有可以轉動的牛、馬等動物,外嵌金髮美
女觀畫的琺瑯畫;二層是兩針時鐘,外有
孔雀守護,花葉纏繞;三層中間為水法,
外為彩漆人物畫;四層是叢林、瀑布,四
角武士站崗,中間有水法,頂端有花束。
機器開動,各層水法自上而下轉動,動
物、景物隨音樂活動。

銅鍍金嵌料石升降塔鐘

18世紀

寬46厘米　高95厘米　厚46厘米　鐘徑17厘米

英國

清宮舊藏

Gilt-copper pagoda-shaped clock
inlaid with pastes
Made in England
18th century
Width: 46cm　Height: 95cm
Thickness: 46cm　Clock diameter: 17cm
Qing Court Collection

這件升降塔鐘有走時、打點、音樂、活動景觀、升降四套機械系統。塔基三面均裝表盤。機器開動，各層塔檐和二層塔身上的料石花及人物開始轉動，五層塔身也隨之升降，底層一隊穿英國制服的士兵在音樂的伴奏下繞塔操練。樂止，鐘塔恢復原有高度。

銅鍍金轉花翻傘鐘
18世紀
寬27厘米　高70厘米　鐘徑6.5厘米
英國
清宮舊藏

**Gilt-copper clock decorated with revolving
flowers and umbrella**
Made in England
18th century
Width: 27cm　Height: 70cm
Clock diameter: 6.5cm
Qing Court Collection

此鐘分三層。底層內裝有音樂控制系統；
中層是鐘表，可走時、報時；最上層是金
質嵌琺瑯傘。鐘以發條、塔輪、鏈條為動
力源。啟動開關時，隨着音樂，頂部傘葉
翻張，露出轉動水法，傘頂螺旋錐狀花轉
動，側面三朵花在自轉同時又隨中央花
束旋轉。樂止，傘葉收攏，轉花停止轉動。

銅鍍金水法機動座鐘

18世紀
寬54厘米　高103厘米　厚50厘米　鐘徑10厘米
英國
清宮舊藏

**Gilt-copper mechanical table clock with
decoration of waterfall**
Made in England
18th century
Width: 54cm　Height: 103cm
Thickness: 50cm　Clock diameter: 10cm
Qing Court Collection

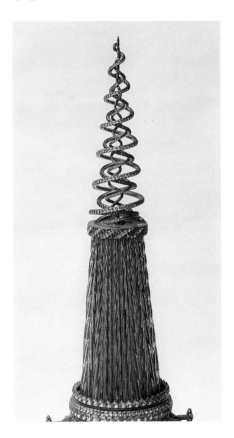

這件鐘底座內為樂箱與活動景觀的控制
系統，底層正面為嵌彩色玻璃花抽屜，拉
手被巧妙地裝飾為花環狀。底座上銅鍍金
刻花四足架子中懸掛一能走時打點的三
針鐘。這件鐘的獨特之處在於鐘體本身是
一個大型鐘擺。機器啟動後，在時針、分
針、秒針運轉的同時鐘整體擺動，鐘上水
法及花束也隨音樂轉動，所以稱之為連機
動鐘。

銅鍍金四象馱八方轉花樂鐘

18世紀

寬91厘米　高142厘米　厚87厘米　鐘徑14厘米

英國倫敦

清宮舊藏

Gilt-copper musical clock carried by four elephants
and decorated with spinning flowers
Made in London, England
Width: 91cm　Height: 142cm
Thickness: 87cm　Clock diameter: 14cm
Qing Court Collection

這件鐘有走時、報時、止打樂、換樂四套機械系統。鐘體分兩層。下層正面大門繪風景，門內是四壁裝玻璃的大廳，廳中央立牌樓，牌樓下鑄古希臘神話傳說中的太陽之神阿波羅像。上層鐘盤中央的藍料石花隨時針的走動而旋轉。遇整點時，鐘頂端的兩朵嵌料石月牙形花也隨之轉動。鐘盤上方有兩小盤，左邊是啟止樂盤，指針撥向CHIME即奏樂，指向NO CHIME則停止。右邊是樂曲名稱顯示盤，撥動指針即可選定樂曲。

鐘上刻有製作人名"George Higginson"。

銅鍍金嵌琺瑯人物亭式水法鐘

18世紀 (1775年)

寬37厘米　高77厘米　厚41厘米　鐘徑6厘米

英國

清宮舊藏

Gilt-copper pavilion-shaped clock inlaid with
enamel scene and decorated with waterfall

Made in England

18th century (1775)

Width: 37cm　Height: 77cm

Thickness: 41cm　Clock diameter: 6cm

Qing Court Collection

這件鐘的底層有活動景觀的機械裝置。
八角形鐘座正面是直列的三個鐘盤，分
別為時、分、秒盤，其餘七面交替裝飾有
水銀鏡與琺瑯畫。鐘座上是重檐八角攢
尖亭。機器開動，上層亭頂旋轉，亭內水
法噴湧，動物圍水法轉動。此鐘上刻製作
人名 "William Sim"。

銅鍍金塔式吐球水法鐘

18世紀 (1775年)
寬53厘米　高123厘米　厚48厘米　鐘徑6.5厘米
英國
清宮舊藏

Gilt-copper pagoda-shaped clock with
decoration of waterfall spurting a ball
Made in England
18th century (1775)
Width: 53cm　Height: 123cm
Thickness: 48cm　Clock diameter: 6.5cm
Qing Court Collection

這座鐘有走時、打點、活動景物及音樂四
套機械系統。鐘底座四面有玻璃柱水法
和人物，樂箱上是一座四角三層寶塔，第
一層內有水法矗立在水池中心的假山
上；第二層內為螺旋形盤梯纏繞的水法，
上面有一銅鍍金滾球；頂層塔身上裝有
兩針鐘。機械開動，音樂響起，塔柱轉動，
水法似瀑布奔流，銅球自上而下滾動，掉
入臥在盤梯口的銅獸嘴中，又被絲槓絞
上去，再向下滾動，循環往復。同時池中
小鴨、柱前人物亦轉動。

銅鍍金自開門蝙蝠鐘
18世紀
寬45厘米　高80厘米　厚38厘米　鐘徑10厘米
英國
清宮舊藏

**Gilt-copper pavilion-shaped clock with an
automatic door decorated with bats**
Made in England
18th century
Width: 45cm　Height: 80cm
Thickness: 38cm　Clock diameter: 10cm
Qing Court Collection

這件鐘為三層四角攢尖閣樓式，每層均
有四根龍抱柱，四角飛檐是怪獸和懸鈴。
十幅精美的琺瑯人物畫鑲嵌於每層的門
扉與兩側。底層後半部為樂箱；中層的門
能自開，內有風景畫；上層正面嵌兩針
鐘，嵌滿料石的四隻蝙蝠落於頂部飛檐
上。機器開動，隨着樂曲聲龍柱旋轉，中
門自開，頂部蝙蝠展翅欲翔。

銅鍍金滾鐘

19世紀

直徑13厘米

法國

清宮舊藏

Gilt-copper rolling clock
Made in France
19th century
Diameter: 13cm
Qing Court Collection

這是一件沒有發條的機械鐘，整個鐘體由外面的鐘殼和裏面的機芯組成。在鐘殼內中心部位裝有一個固定的小輪，與機芯內的偏心輪相咬合，這是鐘殼和機芯的唯一接觸點。在機芯兩夾極的左後方裝有一墜砣。當滾鐘放至傾角為10°的坡板頂端時，鐘殼由於重力作用開始向下滾動，鐘內的小輪也隨之滾動，而機芯由於偏上方墜砣的作用仍繼續保持原狀，不能和鐘殼同步運行，這就使偏心輪保持了相對靜止。小輪和偏心輪這一動一靜產生了動源，帶動機芯內的齒輪系統運行，從而巧妙地解決了鐘表的動源問題。

放置滾鐘的坡板長55厘米，每放一次走二十四小時。無論滾鐘在甚麼位置，機芯的狀態不變。十二時和六時的位置總處在垂直方向上。鐘殼外夾板邊緣有細微的小齒，以增加鐘體與坡板的摩擦力，保證鐘體勻速下滑。

銅鍍金滾球壓力鐘

19世紀

面寬29厘米　高53厘米　厚25厘米

法國

清宮舊藏

**Gilt-copper clock with the aid of rolling
ball pressure**
Made in France
19th century
Width: 29cm　Height: 53cm　Thickness: 25cm
Qing Court Collection

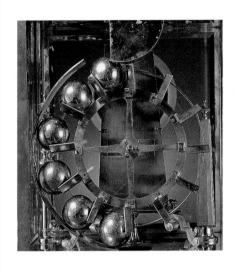

此鐘為二針時鐘，鐘盤上露明擺。鐘體內
無發條，是以鋼球重力為動源帶動機芯
走時。鐘體後裝有一個分為十二格的大
輪盤，只要將四枚各重250克的鋼球順序
壓入格內，輪盤即可轉動。鐘上面是儲存
鋼球的盒子，盒內有坡度軌道，可儲存十
八枚鋼球。鐘體下面為儲存滾落下的鋼
球的抽屜。

當需要時鐘走動時，便可將其中的四個
鋼球壓入輪盤，其餘鋼球依次放入上面
盒子內的坡度軌道上。輪盤在鋼球重量
的壓迫下向順時針方向轉動，轉動的輪
盤帶動齒輪系統走時。每隔十六小時便
有一個鋼球滾入下面的抽屜，同時又從
上面的儲存盒中滾入輪盤一球以作補
充。一周以後，將下面抽屜中的鋼球再次
放回上面的儲存盒中，循環使用。

此鐘還附有風雨表和寒暑表。

銅鍍金輪船模型表
19世紀末
寬44厘米　高38.5厘米　厚18厘米　表徑6厘米
法國
清宮舊藏

Gilt-copper ship model with a watch
Made in France
The late 19th century
Width: 44cm　Height: 38.5cm
Thickness: 18cm　Watch diameter: 6cm
Qing Court Collection

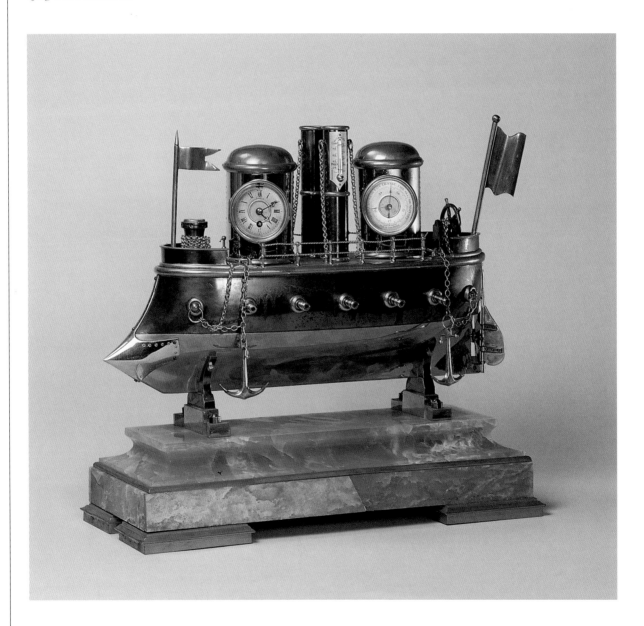

船身置於綠色大理石座上。輪船頭尾插有銅鍍金大小旗幟各一，大旗
上刻龍紋圖案，小旗上刻"萬壽無疆"四字。甲板上有兩個圓筒，嵌有
鐘表和風雨寒暑表，兩筒之間煙囪側面嵌溫度計，上頂有指南針。開動
船尾舵，圓筒按順時針方向轉動，船尾的驅動輪轉動。這件輪船模型表
應是法國專門為清帝后設計製造的祝壽禮品。

銅鍍金活塞風輪機器模型表

19世紀末

寬36.5厘米　高47厘米　厚19.5厘米　表徑17厘米

法國

清宮舊藏

Gilt-copper machine model with a watch
Made in France
The late 19th century
Width: 36.5cm　Height:47cm
Thickness: 19.5cm　Watch diameter: 17cm
Qing Court Collection

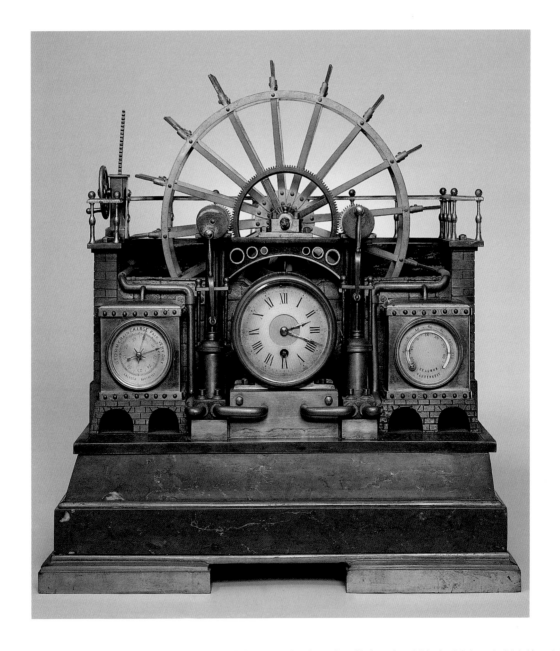

紫色大理石座上設一套兩針表；表兩側各有活塞缸，缸側有爐。左爐上嵌風雨表，右爐上嵌溫度表，鐘表上有一大風輪，內有一組齒輪聯動裝置。開動機器，隨着大風輪旋轉，中間的齒輪與兩旁活塞桿頂端的小齒輪互相咬合，帶動活塞上下活動，顯示了19世紀時盛行的蒸氣機的基本原理。

銅鍍金汽車式風雨寒暑表

19世紀末

寬42厘米　高28厘米　厚16厘米　表徑6.5厘米

法國

清宮舊藏

**Gilt-copper car model with a watch and
a wind-and-rain gauge**

Made in France

The late 19th century

Width: 42cm　Height: 28cm

Thickness: 16cm　Watch diameter: 6.5cm

Qing Court Collection

此表模仿十九世紀汽車，車廂上嵌瑞士烏利文兩針表和風雨表。開關
是方向盤側面的手閘。開啟後，表走時，車輪轉動。

銅火車頭風雨表

19世紀末
寬52厘米　高46厘米　厚24厘米　表徑6.5厘米
法國
清宮舊藏

Copper locomotive with a wind-and-rain gauge
Made in France
The late 19th century
Width: 52cm　Height: 46cm
Thickness: 24cm　Gauge diameter: 6.5cm
Qing Court Collection

火車頭風雨表安設於黑色大理石基座上，內裝控制車輪轉動的機械系統。駕駛室內門上嵌有二針表，並嵌有瑞士鐘表公司ULLMANN·J&cie的商標。火車頭鍋爐側面嵌風雨表，爐上掛銅鈴，嵌溫度表的煙囱聳立在鍋爐上。啟動後，車輪及驅動杆轉動，如火車行駛狀。

銅鍍金燈塔式座表

19世紀末
高68厘米　底座直徑25厘米
法國
清宮舊藏

Gilt-copper beacon-shaped desk clock
Made in France
The late 19th century
Height: 68cm　Base diameter: 25cm
Qing Court Collection

燈塔上層的表內有兩套機械系統,可走時、報時,表盤上方有調節走時快慢的撥針。表左側為風雨表,右側為溫度計。上弦後,燈塔頂層可徐徐轉動。

鐵質轉機風雨寒暑表

20世紀初

寬28厘米　高28厘米　厚24厘米

法國

清宮舊藏

Iron machine with a wind-and-rain gauge
and a thermometer
Made in France
The early 20th century
Width: 28cm　Height: 28cm　Thickness: 24cm
Qing Court Collection

此表臥式圓筒機身上有一組活動景物，右後方豎立的大輪中心安設齒
輪，與內部機械裝置相咬合。上弦開啟後，大輪運轉並帶動活塞桿滑
動，兩小球隨之張合。大輪與活塞桿的運動由慢到快，小球由合至張，
達到最高速後，小球擴張到極限，並迅速由張到收縮，大輪、活塞桿運
動速度由快轉慢。如此循環往復，小球的張合控制運動速度。機身前側
中間是溫度計，左為二針表，右為風雨表。

銅鍍金琺瑯瓶式三面表

20世紀初

高80厘米　表徑6.5厘米

法國

清宮舊藏

Gilt-copper bottle-shaped clock with a thermometer and a wind-and-rain gauge

Made in France

The early 20th century

Height: 80cm　Clock diameter: 6.5cm

Qing Court Collection

這件三面表有三個表盤，其一為二針時鐘；其二為寒暑表，顯示氣溫變化；其三為氣壓、風雨表，顯示天氣的風雨陰晴變化。

表上刻製造人名"J·ullmann"。

氣球式鐘
19世紀末
高60厘米　球徑16厘米
法國
清宮舊藏

Balloon-shaped clock
Made in France
The late 19th century
Height: 60cm
Balloon diameter: 16cm
Qing Court Collection

這件鐘的動力源由發條盒、塔輪、鏈條組
成機軸擒縱器。支架支撐氣球處為活軸。
上弦啟動後，球內機芯動力擺帶動球體
擺動，球外的筐也隨之同步晃動。

19世紀時，歐洲科學家多次實驗乘氫氣
球升空探測大氣奧秘，這件鐘表的造型
反映了歐洲當時的這一科技活動。

紫檀嵌琺瑯重檐樓閣更鐘

清乾隆
面寬70厘米　高150厘米　厚70厘米
清宮造鐘處
清宮舊藏

Red sandalwood tower-shaped night clock inlaid with enamel
Made by the Clock-manufacturing
Department of Qing Court
Qianlong period, Qing Dynasty
Width: 70cm　Height: 150cm　Thickness: 70cm
Qing Court Collection

鐘體為重檐樓閣式樣。亭下正面為兩針鐘盤，上有"乾隆年製"銘文。鐘盤上方有二小盤，左為定更盤，右為節氣盤，是專為夜間打更使用的。此鐘共有五組發條動力源，分別帶動走時、打時、打刻、發更、打更五套齒輪傳動聯動系統。白日走時、報刻、報時，夜間打更，打更前先調好節氣盤與定更盤。由於一年之中不同的節氣起更的時間、更間的長短都不同，便要通過定更盤和節氣盤起調節作用。每夜起更和亮更都敲一〇八響，亮更結束後，通過人工再使打更的滾輪恢復至原處，以便次晚照常打更。更鐘通過精確的機械結構，將中國傳統的夜間計時方法應用在鐘表上，這是清宮造鐘處的創造，也是清宮造鐘處的代表作品。

木樓嵌琺瑯轉八仙鐘

清乾隆
寬51厘米　高88厘米　厚40厘米　鐘徑20厘米
清宮造鐘處
清宮舊藏

Wooden tower-shaped clock inlaid with enamel
decorated with revolving eight immortals
Made by the Clock-manufacturing
Department of Qing Court
Qianlong period, Qing Dynasty
Width: 51cm　Height: 88cm　Thickness: 40cm　Clock diameter: 20cm
Qing Court Collection

此鐘由走時、報時、音樂及活動景物三套機械系統組成，裝飾設計上用
不同的形式反映同一主題——羣仙祝壽。鐘盤四角各鏨蝙蝠、夔鳳捧
團"壽"字，上層樓閣中央是八仙圍繞玉皇大帝景觀。每逢整點，時鐘
報時，繼而音樂聲起，八仙轉動。

皇極殿大自鳴鐘

清乾隆
面寬260厘米　高580厘米　厚260厘米
清宮造鐘處
清宮舊藏

Big striking clock
Made by the Clock-manufacturing
Department of Qing Court
Qianlong period, Qing Dynasty
Width: 260cm　Height: 580cm　Thickness: 260cm
Qing Court Collection

鐘體為二層樓閣式。上層正面為鐘盤，樓
頂倒扣上下兩銅鐘，鐘旁各有錘，錘柄繫
繩與鐘機相連以報時刻。鐘機共有三組銅
製齒輪傳動系統，左邊報刻，右邊報時，中
間走時。每組傳動系統各用羊腸皮弦繫一
百餘斤重的鉛砣，三組系統相互聯動。當
上弦時，用轆轤絞起鐘弦，鉛砣被提起，由
於鉛砣的巨大重力，使其以基本恆定的速
度下降，從而帶動齒輪傳動系統運行。每
走一刻鐘，左邊的機械牽動報刻的錘繩與
錘敲鐘報刻。同樣，每走一小時，右邊的機
械牽動另一錘繩與錘敲鐘報時。這是現存
清宮造鐘處製作的最高大的自鳴鐘。這件
作為體現皇權禮器的大自鳴鐘，原陳設於
太上皇理政的皇極殿，現陳列於故宮鐘表
館。

銅鍍金嵌料石荷花缸表

清乾隆
高154厘米　缸口直徑70厘米
底座直徑60厘米
清宮造辦處
清宮舊藏

**Gilt-copper vat inlaid with a clock and
pastes and decorated with lotus**
Made by the Workshops of Qing Court
Qianlong period, Qing Dynasty
Height: 154cm　Vat mouth diameter: 70cm
Pedestal diameter: 60cm
Qing Court Collection

此鐘是造鐘處用廣東製鏨花銅缸和法國
製機芯及八音盒組裝成的陳設荷花缸
鐘。

缸體前中嵌鐘盤，前後下部裝有琺瑯畫
及水法佈景，缸上幾束荷花。缸內裝有機
芯，共有兩套機械動力系統。一套負責走
時、報時；一套負責奏樂、水法及荷花開
合等。機械啟動後，缸中樂響，水法轉動，
並通過拉桿使荷花開合，荷花內有白猿、
童子、西王母等牙雕坐像，寓意"白猿獻
壽"。兩套動力系統由齒輪聯接，混然一
體，十分雅致。

209

黑漆描金亭式鐘

清乾隆
高79厘米　底座見方49厘米
清宮造辦處
清宮舊藏

**Black lacquer pavilion-shaped clock
traced in gold**
Made by the Workshops of Qing Court
Qianlong period, Qing Dynasty
Height: 79cm　Pedestal: 49 x 49cm
Qing Court Collection

鐘殼為仿日本廟宇建築，外飾髹漆亦仿自日本工藝。琺瑯鐘盤上有“乾
隆年製”四字。鐘盤上半部左右各有一半圓形洞，分別裝有更數調節盤
和節氣調節盤，可通過其上部的鑰孔調節。機芯內裝五組動力系統，分
別負責走時、打時、打刻、發更、打更。動力系統之間由齒輪聯接。

210

銅鍍金嵌料石迎手鐘

清乾隆
高31厘米　底見方36厘米　鐘徑8.5厘米
清宮造鐘處
清宮舊藏

Gilt-copper block-shaped clock inlaid with paste diamonds
Made by the Clock-manufacturing
Department of Qing Court
Qianlong period, Qing Dynasty
Height: 31cm　bottom: 36 × 36cm
Clock diameter: 8.5cm
Qing Court Collection

這是一件迎手和鐘表合二為一的作品，常放置於寶座旁或炕上。迎手為銅鍍金委角墩式，正面安一圓形鐘，鐘由表盤弦孔上弦，機械裝置由發條、塔輪、鏈條、機軸擒縱器、側向冠輪、游絲擺輪等組成。音樂裝置亦是以盒裝發條、塔輪、鏈條為動力源，帶動齒輪傳動系統。此外還有充氣袋及與之相連的一排金屬哨。當齒輪轉動時，氣袋由一端充氣，氣體從另一端流出衝激哨子發出不同音響。此鐘特別之處在於啟動其音樂裝置的方式，用肘部壓迫頂部的軟墊，墊下的金屬接觸桿即觸及開關，隨之響起樂聲。

黑漆描金樓式鐘

清中期
面寬49厘米　高70厘米　厚33厘米
清宮造鐘處
清宮舊藏

Black lacquer tower-shaped clock traced in gold
Made by the Clock-manufacturing
Department of Qing Court
The Mid-Qing Dynasty
Width: 49cm　Height: 70cm　Thickness: 33cm
Qing Court Collection

這是件二針時鐘，鐘盤為琺瑯質，上書"乾隆年製"。機芯為三組盒裝發條，分別配合塔輪、鏈條組成動力源，帶動走時、打時、打刻三套齒輪系統。鐘樓上部銅架中扣着重叠的三個銅鐘，每個銅鐘旁都有鐵錘。當分針走到整刻時，繩索牽動下面的兩個錘敲擊下邊的兩個銅鐘，發"叮、噹"聲報刻；當時針、分針走到整點時，牽動上邊的錘繩與錘敲上邊的銅鐘，發出"噹"的報時聲，幾點鐘便敲幾下。

鐘樓為銅骨架木包鑲結構，外表為仿日本黑漆地描金花。

硬木轉八仙塔式樂鐘

清中期
寬52厘米　高145厘米
清宮造鐘處
清宮舊藏

Hardwood musical clock in the shape of
pagoda decorated with revolving
eight immortals
Made by the Clock-manufacturing
Department of Qing Court
The Mid-Qing Dynasty
Width: 52cm　Height: 145cm
Qing Court Collection

鐘體由基座和塔身組成。基座正面有二
針時鐘，表盤上有一上弦孔。鐘表機芯動
力源為兩組盒裝發條、塔輪、鏈條，分別
負責走時和報時，基座內還有一組發條
和齒輪裝置負責打樂和轉人的啟動。

塔為十三層，中心有飾金圓柱支撐塔身。
塔身各層內有可轉動的走廊，立有手持
寶物的八仙。上弦後，樂聲起，奇數層內
的八仙繞圓柱做順時針旋轉，偶數層則
相反。音樂與活動人物同行同止。

213

金漆木樓嵌琺瑯盤二針鐘

清乾隆
面寬22.7厘米　高36厘米　厚16厘米
清宮造鐘處
清宮舊藏

**Gold lacquer wood tower inlaid with
an enamel-dial clock**
Made by the Clock-manufacturing
Department of Qing Court
Qianlong period, Qing Dynasty
Width: 22.7cm　Height: 36cm　Thickness: 16cm
Qing Court Collection

這件鐘以仿日本金漆木質為鐘殼，全鐘共有三套發條動力源，分別負責走時、報時和報刻。鐘盤上有"乾隆年製"銘文。鐘底座的抽屜內有乾隆御製詩三冊，分別為"御製祈穀齋居詩"、"御製常雩齋居詩"、"御製南郊齋居詩"，可知此鐘為乾隆到天壇舉行祭祀大禮時攜帶之物。

銅鍍金冠架鐘
清乾隆
高30厘米　底徑14厘米　鐘徑12厘米
清宮造鐘處
清宮舊藏

Gilt-copper cap stand with a clock
Made by the Clock-manufacturing
Department of Qing Court
Qianlong Period, Qing Dynasty
Height: 30cm　Base diameter: 14cm
Clock diameter: 12cm
Qing Court Collection

此鐘上部為尖頂，專為放置帽子而設計，
稱為"冠架鐘"。鐘體內共有走時、報時、
報刻三套機械系統。

銅鍍金轉八寶亭式表

215

清乾隆
面寬23厘米　高50厘米　厚17厘米
清宮造鐘處
清宮舊藏

Gilt-copper pavilion-shaped watch decorated with
Buddhist eight treasures
Made by the Clock-manufacturing
Department of Qing Court
Qianlong period, Qing Dynasty
Width: 23cm　Height: 50cm　Thickness: 17cm
Qing Court Collection

這件鐘的主體為銅鍍金嵌寶石重檐亭。亭內有六字真言（唵、嘛、呢、叭、咪、吽）梵文經柱，柱內裝滿經卷。柱旁為佛供八寶。亭座內有發條動力機械裝置，帶動經柱沿順時針方向轉動，八寶沿逆時針方向轉動。亭頂端嵌小表一塊，有一套發條動力源負責走時。

童托漆畫玻璃門座櫃表

清乾隆
面寬60厘米　高85厘米　厚30厘米
清宮造鐘處
清宮舊藏

**A watch on the cabinet with glass door
decorated with lacquer painting**
Made by the Clock-manufacturing
Department of Qing Court
Qianlong period, Qing Dynasty
Width: 60cm　Height: 85cm　Thickness: 30cm
Qing Court Collection

這件鐘安放在兩童子手托漆畫玻璃門的座櫃頂部。打開櫃門，裏面是
一多寶格。底座及櫃體是清宮造辦處的作品。座櫃頂部所嵌二針鐘表，
表後板刻"Geo, Beefield, London"的銘文，為英國製作。此表為典型
的中西合璧作品。

銅鍍金琺瑯水法仙人鐘

清乾隆
寬31厘米　高75厘米　厚27厘米　鐘徑7厘米
中國廣州
清宮舊藏

Gilt-copper clock inlaid with enamel and decorated
with landscape and figures
Made in Guangzhou, China
Qianlong period, Qing Dynasty
Width: 31cm　Height: 75cm
Thickness: 27cm　Clock diameter: 7cm
Qing Court Collection

這件銅鍍金質鐘有走時、打點、音樂、景
物活動三套機械系統，外觀共分三層。機
器開動後，在樂曲聲中底層玻璃櫃內的
水法轉動，似瀑布傾瀉，人在橋上行走，
頂層蝴蝶顫翅，花閉花開，現出手托瓷瓶
盤坐於花蕊上的觀音。

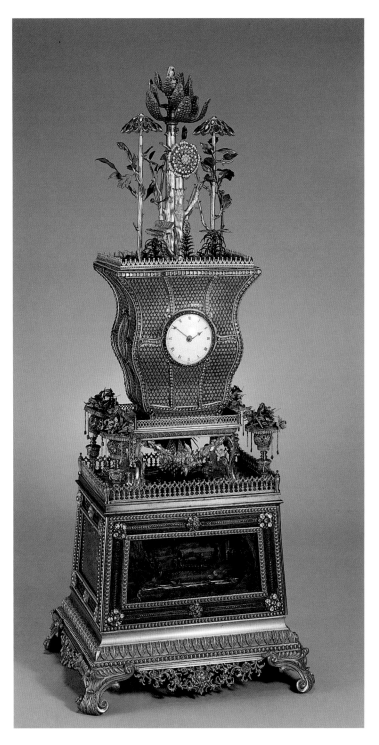

銅鍍金琺瑯樓倒球捲簾鐘

清中期
寬39厘米　高104厘米　厚31厘米　鐘徑16.5厘米
中國廣州
清宮舊藏

Gilt-copper building-shaped clock with the scene of
acrobatic showing and ball-rolling game
Made in Guangzhou, China
The Mid-Qing Dynasty
Width: 39cm　Height: 104cm
Thickness: 31cm　Clock diameter: 16.5cm
Qing Court Collection

鐘分三層，底層正面鏤空背景中有轉動
的水法和建築畫，中間立一持杖紳士，旁
邊各跪一人，手持小瓶。二層的歐洲鄉村
風景畫簾幕後有雜技表演與獻寶活動
人。三層為三針時鐘，由背面弦孔上弦。

此鐘有活動景物和計時兩套機械系統。
活動景物和音樂的機械裝置在底層樂箱
裏。鐘弦開動後，伴隨樂聲銅球由左邊人
手中瓶口倒出，沿腳下軌道滾進右側人
手中瓶內，再經麻花軸杆攪入左瓶，由瓶
口倒出，周而復始，循環滾球。中間紳士
左右擺頭，似欣賞狀。與此同時，中層簾
幕捲起，攀杆人做翻杆表演，獻寶人轉
動，座鐘上琺瑯柱、角花、頂花等裝飾也
隨之轉動。

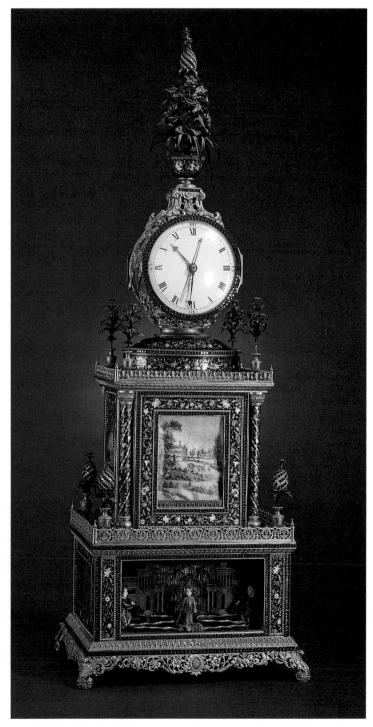

銅鍍金嵌琺瑯內置升降塔鐘

清乾隆
寬45厘米　高100厘米　厚39厘米　鐘徑12厘米
中國廣州
清宮舊藏

Gilt-copper pavilion-shaped clock inlaid with enamel decorated with a rising pagoda
Made in Guangzhou, China
Qianlong period, Qing Dynasty
Width: 45cm　Height: 100cm
Thickness: 39cm　Clock diameter: 12cm
Qing Court Collection

這件銅鍍金質鐘設有走時、打點、音樂、活動景觀三套機械系統。底層是樂箱，箱正面置白琺瑯鐘盤；二層中間拱門內置九層佛塔，兩旁有西洋式羽翅人在合什參拜；三層琺瑯柱六角攢尖頂方亭內有一手捧奏摺人。機器開動。亭中持摺人向前一步展開奏摺，現出"千秋永固"四字，琺瑯柱及花束隨樂曲聲轉動，二層拱門內九層佛塔升降，直到曲終停止。

這件鐘表的裝飾集東西方儒、釋、耶人物與景物於一體，生動地反映了18世紀時廣東地區文化駁雜、活躍的狀況。

銅鍍金嵌琺瑯葫蘆頂漁樵耕讀鐘

清中期
寬46厘米　高87厘米　厚38厘米　鐘徑10.5厘米
中國廣州
清宮舊藏

Gilt-copper calabash-shaped clock inlaid with enamel and
decorated with the working scene of fisherman,
woodcutter, farmer and literary-man
Made in Guangzhou, China
The Mid-Qing Dynasty
Width: 46cm　Height: 87cm
Thickness: 38cm　Clock diameter: 10.5cm
Qing Court Collection

鐘分三層。內有三套機械系統，分別控制音樂、活動景物和時鐘計時。
弦開動後，下層水法轉動，漁翁於池畔垂釣，魚杆上下揮動，樵夫扛柴，
農夫扶犁出入山洞，文人於亭內搖扇讀書，以表現中國傳統的"漁樵耕
讀"景象。與此同時，上層葫蘆門自開，活動人物轉花，角轉花亦隨之旋
轉。

銅鍍金水法白猿獻壽樂鐘

清乾隆四十五年 (1780)
寬46厘米　高108厘米　厚46厘米　鐘徑12厘米
中國廣州
清宮舊藏

Gilt-copper musical clock with the decoration of waterfall
and the scene of monkeys presenting peaches
Made in Guangzhou, China
45th year of Qianlong's reign, Qing Dynasty (1780)
Width: 46cm　Height: 108cm
Thickness: 46cm　Clock diameter: 12cm
Qing Court Collection

這件銅鍍金時鐘有走時、打點、音樂活動景觀三套機械系統，外觀分為
三層。機械開動後，底層大朵料石花自內向外層層轉出，中層仙猿下跪
獻桃，龍首吐水，頂層四角轉花，傘蓋轉動。音樂止，祝壽表演結束。此
鐘為廣州官員於1780年為乾隆皇帝七十壽辰特製進貢的。

銅鍍金嵌琺瑯羣仙祝壽鐘

清乾隆
高103厘米　底見方35厘米
中國廣州
清宮舊藏

**Gilt-copper clock inlaid with enamel
and decorated with the scene of
fairies celebrating birthday**
Made in Guangzhou, China
Qianlong period, Qing Dynasty
Height: 103cm　Bottom: 35 x 35cm
Qing Court Collection

此鐘分為方形底座和水上仙閣兩部分，
底座正面居中為二針時鐘，兩側為水法
佈景。鐘面皆藍地金花琺瑯。

此鐘有走時、打樂及活動景觀三套機械
系統。從底座後面上弦後，所有水法啟
動，水法柱中間的銅柱與仙閣上的門簾、
人物相連，從而帶動門簾及人物活動。

銅鍍金三猿獻寶鐘

清中期

寬44厘米　高104厘米　厚39厘米　鐘徑18.5厘米

中國廣州

清宮舊藏

Gilt-copper clock with the scene of three monkeys presenting treasures
Made in Guangzhou, China
The Mid-Qing Dynasty
Width: 44cm　Height: 104cm
Thickness: 39cm　Clock diameter: 18.5cm
Qing Court Collection

此鐘共有走時、報時、音樂及活動景物裝置三套系統。弦滿開動後，亭內瓶腹部四朵轉花及瓶周圍獻寶人隨樂轉動，同時，鐘盤下方的帷幕自動捲起，幕內三仙猿跪地獻寶。三猿身後的小帷幕也同時捲起，內有小鳥鳴叫擺身。獻寶後，猿起身復原位，樂止，帷幕落下。

紫檀嵌螺甸羣仙祝壽鐘

清晚期
寬48厘米　高85厘米　厚24厘米　鐘徑20厘米
中國廣州
清宮舊藏

Red sandalwood clock inlaid with mother-of-pearl decorated
with the scene of fairies celebrating birthday
Made in Guangzhou, China
The late Qing Dynasty
Width: 48cm　Height: 85cm
Thickness: 24cm　Clock diameter: 20cm
Qing Court Collection

此鐘由走時、報時、活動景物三套系統組成，是廣東官員為慈禧太后六十壽辰進獻的祝壽禮品。在紋飾設計上緊扣主題，鐘下部由螺甸鑲嵌兩個團壽字，邊框鑲嵌萬代葫蘆，寓意福壽綿長。鐘盤上方有舞台佈景，台幕上有"聖壽無疆"、"堯天"、"舜日"三券門，中門內立有一手持杖、一手托佛手的壽星。門旁分立牽象人，象背負插花寶瓶。每逢整點，機芯內小錘敲擊鐘碗報時，報時系統中一凸輪撥動活動景物系統中的齒輪，在樂曲聲中壽星手臂擺動，瓶內插花也隨之轉動。

紫檀木北極恆星圖節氣時辰鐘

清晚期

寬32厘米　高60厘米　厚23厘米

鐘徑32厘米

中國蘇州

**Red sandalwood clock with the map of
constellations, the names of solar terms, and
the names of Earthly Branches**
Made in Suzhou, China
The late Qing Dynasty
Width: 32cm　Height: 60cm
Thickness: 23cm　Clock diameter: 32cm

黑色鐘盤中心描金北極恆星圖，有三垣、二十八宿諸星座，圖邊緣寫黃
道十二宮名。圖緣外一銅圈上鐫刻二十四節氣名，每一節氣劃分為十
五格，一格代表一天。節氣圈外的銅圈上刻十二時辰。鐘有長、短兩針，
長針每走一圈為一小時，短針每走一圈為二十四小時。鐘盤外緣有齒，
和走時系統的齒輪相咬合轉動。顯示天球星座的移動變化。此鐘有走
時、報時兩套系統，上一次弦可走七天。

銅鍍金自開門變戲法水法鐘

清光緒
面寬40厘米　高72厘米　厚30厘米
中國蘇州
清宮舊藏

Gilt-copper clock with magical robot
Made in Suzhou, China
Guangxu period, Qing Dynasty
Width: 40cm　Height: 72cm
Thickness: 30cm
Qing Court Collection

此鐘共分三層。底層為樂箱，其正面為水法行人佈景。中層當中為自動閉開門，門內方桌後跪立變戲法人，手握銅鈴，可以變出四種不同的鮮花。上層為三針時鐘。全鐘共有三套發條動力源，一套在底層樂箱內，負責水法行人佈景和變戲法人的活動，另外兩套在時鐘內，負責走時和報時。此鐘製作工藝水平較高，是故宮所藏清代蘇州鐘表中的精品。

琺瑯珠花表
19世紀
厚2.3厘米　表徑6.5厘米
瑞士
清宮舊藏

Enamel clock inlaid with pearls
Made in Switzerland
19th century
Thickness: 2.3cm
Watch diameter: 6.5cm
Qing Court Collection

此表可走時、問時。問時系統結構較特別，是由兩條長短不一的並列鋼條替代鐘碗，長鋼條音頻低，發出聲音低沉，短鋼條音頻高，發出聲音高亢。鋼條俗稱"簧"，故稱這類表為"打簧表"。欲知時刻，只要按一下表把，小錘即可敲擊鋼條發出聲響，"叮"聲報時，"叮咚"聲報刻。

鍍金嵌珠仕女畫懷表

228

19世紀末
厚1.9厘米　表徑5.2厘米
瑞士
清宮舊藏

Gilt-copper pocket watch inlaid with pearls and
decorated with a painting of beautiful women
Made in Switzerland
The late 19th century
Thickness: 1.9cm　Watch diameter: 5.2cm
Qing Court Collection

此表為裝有兩根簧的"打簧表"。問時裝置在表殼左側,是一弓形撥鈕,用力向下撥動即可打簧,報時、報刻、報分,同時又是計算短暫時間間隔的秒表。按動表把,秒針停止走動,再按表柄,秒針彈回至零秒。表以發條為動力源帶動走時齒輪系統,工字輪擒縱器,轉動表把上弦。

表上標有製造者姓名"Landor LocLe"。

銅鍍金殼動畫懷表 (一對)

19世紀

厚1.5厘米　表徑5.6厘米

法國

清宮舊藏

**A pair of gilt-copper pocket watch decorated
with cartoon**
Made in France
19th century
Thickness: 1.5cm　Watch diameter: 5.6cm
Qing Court Collection

這對表為"動畫表"。所謂"動畫表"即在表的外殼或表盤上裝有動畫
形象,這些形象在機芯發條帶動下可活動自如。兩塊表的問時撥鈕均
在六點鐘位置。啟動後,左側女士敲鐘報時,右側女士敲鐘報分,左右
兩側女士輪流報刻,一小男孩手持錘上下揮動敲擊。

這對表的動畫形象是圍繞時刻顯示盤排列的,為使表盤佈局生動,把
秒針分離出來,置於時、分盤下方。

銅鍍金扇形表
19世紀末
長4.5厘米　寬4厘米　表徑2.5厘米
瑞士
清宮舊藏

Gilt-copper watch in the shape of a fan
Made in Switzerland
The late 19th century
Length: 4.5cm　Width: 4cm
Watch diameter: 2.5cm
Qing Court Collection

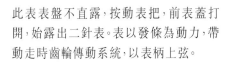

此表表盤不直露，按動表把，前表蓋打
開，始露出二針表。表以發條為動力，帶
動走時齒輪傳動系統，以表柄上弦。

畫琺瑯雙鵝畫懷表

19世紀

厚1.5厘米　表徑6.4厘米

瑞士

清宮舊藏

**Pocket watch decorated with the design of
two geese in painted enamel**
Made in Switzerland
19th century
Thickness: 1.5cm　Watch diameter: 6.4cm
Qing Court Collection

這件懷表以發條為動力源帶動走時齒輪
系統，工字輪擒縱器，以表把上弦。

銅鍍金琺瑯鑽石懷表
19世紀
厚1.1厘米　表徑6.6厘米
英國倫敦
清宮舊藏

**Gilt-copper pocket watch inlaid with enamel
and diamonds**
Made in London, England
19th century
Thickness: 1.1cm　Watch diameter: 6.6cm
Qing Court Collection

此表為"打簧表"。在機芯後板用鑰匙上
弦,可走時、問時。掀動表把,即可打簧報
時、報刻。

表上刻有製作人名"Ilbery"。

琺瑯鑲鑽石石榴別針表

19世紀末

石榴徑1.6厘米　表徑1厘米

瑞士

清宮舊藏

Enamel brooch-and-pomegranate-shaped
watch inlaid with diamonds
Made in Switzerland
The late 19th century
Pomegranate diameter: 1.6cm
Watch diameter: 1cm
Qing Court Collection

此表上半部分為一別針花，下半部分為一鑲鑽石紅色石榴，花托處用
一鏈條將上下部相連。機芯以發條為動力帶動齒輪走時系統，馬式擒
縱器。此表的上弦方式較特別，依順時針方向轉動石榴上半部即為上
弦。

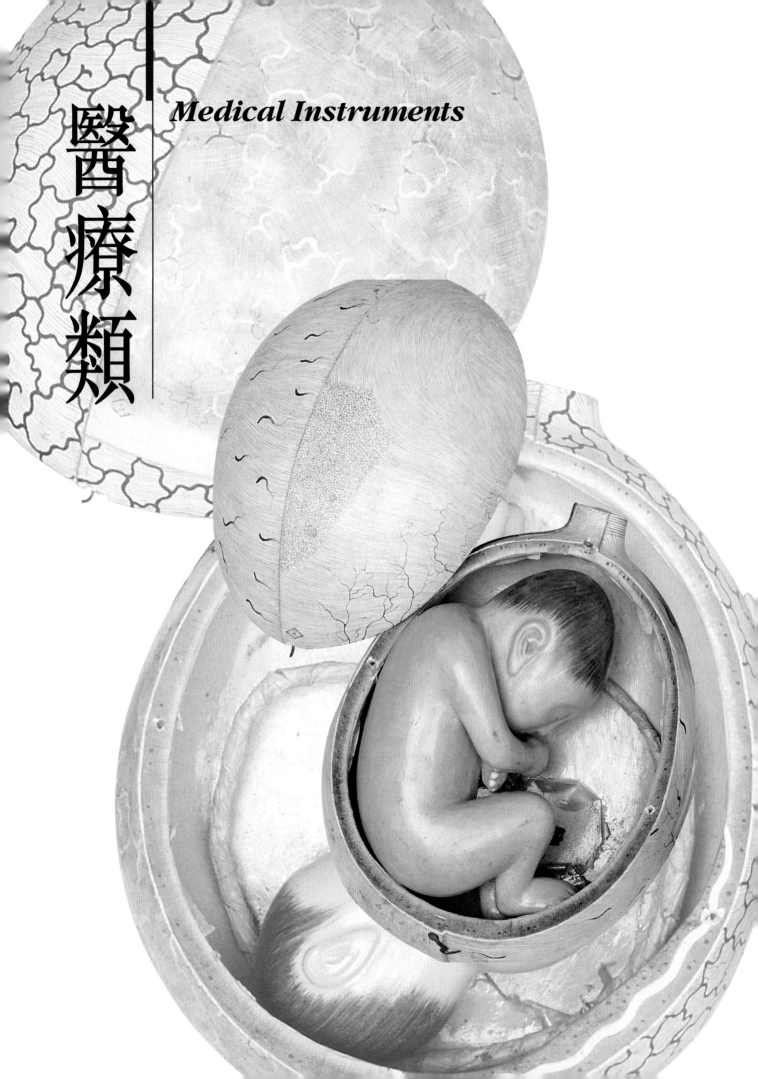

醫療類

Medical Instruments

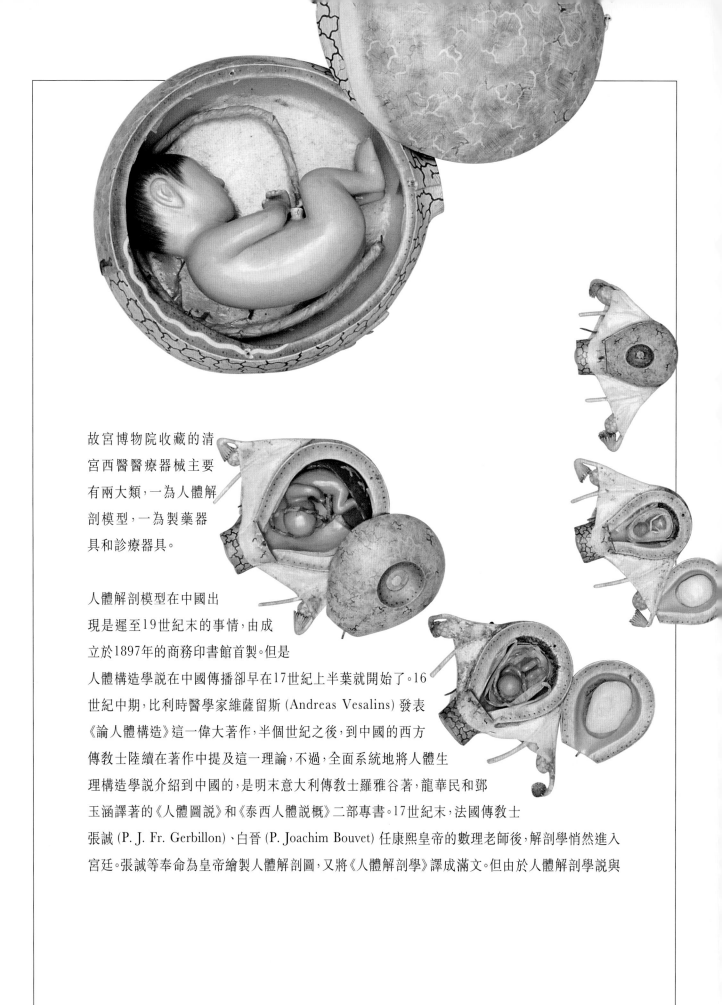

故宮博物院收藏的清宮西醫醫療器械主要有兩大類,一為人體解剖模型,一為製藥器具和診療器具。

人體解剖模型在中國出現是遲至19世紀末的事情,由成立於1897年的商務印書館首製。但是人體構造學說在中國傳播卻早在17世紀上半葉就開始了。16世紀中期,比利時醫學家維薩留斯 (Andreas Vesalins) 發表《論人體構造》這一偉大著作,半個世紀之後,到中國的西方傳教士陸續在著作中提及這一理論,不過,全面系統地將人體生理構造學說介紹到中國的,是明末意大利傳教士羅雅谷著,龍華民和鄧玉涵譯著的《人體圖説》和《泰西人體説概》二部專書。17世紀末,法國傳教士張誠 (P. J. Fr. Gerbillon)、白晉 (P. Joachim Bouvet) 任康熙皇帝的數理老師後,解剖學悄然進入宮廷。張誠等奉命為皇帝繪製人體解剖圖,又將《人體解剖學》譯成滿文。但由於人體解剖學説與說與儒家經典倡導的"身體髮膚，受之父母，不敢毀傷"的思想相抵牾，康熙皇帝在學解剖學時也不得不叮嚀他的外國老師要格外謹慎。解剖學在宮內的傳播實際上也就到對此感興趣的康熙為止。至19世紀下半葉，隨着西學在中國的再度興起，解剖學也重新進入宮廷。同治四年 (1865) 清廷所設立的同文館開始增設醫科，聘英籍醫師主講生理學和解剖學。光緒二十四年 (1898) 為謀求維新變法，光緒皇帝積極學習西學，在朝臣孫家鼐奏請設醫學堂摺上明諭："醫學一門關係至重，極應另立醫學堂，考求中西醫理，歸大學堂兼轄，以期醫學精進。"清宮收藏的幾件醫用人體解剖模型應是在此背景下進入宮廷的。

清宮的西醫治藥器具最早出現於康熙時期。康熙皇帝在學習西醫學時，曾在宮內設實驗室，利用化學方法製藥。當時頗盛行西洋傳來的蒸餾製露法："凡物之有質者，皆可取露……其法取於大西洋，傳入中國，大則用瓶，小則用壺，皆可蒸取。"諸種藥露，如薄荷露、玫瑰露、茉莉露等，在民間也很有市場，如《紅樓夢》中就有"玫瑰露引出茯苓霜"的章節。因之宮廷中遺有實驗室中所用製藥蒸餾器便不足為奇。不過，大多數醫療器械都是晚清宮廷的。

西醫藥物在清宮中最早得到認可的是法國傳教士帶來的17世紀歐洲很流行的金雞納 (亦稱奎寧)。由於此藥對發燒、瘧疾的特殊療效而成為御用藥品。清宮檔案中曾有過康熙派人給病危的江南織造曹寅送金雞納的記載。其他西藥如玫瑰露、鼻煙等，至今在故宮中也仍有保留。

銀質製藥器具 (一盒)

清康熙
盒長39厘米　寬34.5厘米　高14厘米
中國
清宮舊藏

A box of silver medical instruments
Made in China
Kangxi period, Qing Dynasty
Length of box: 39cm　Width: 34.5cm
Height: 14cm
Qing Court Collection

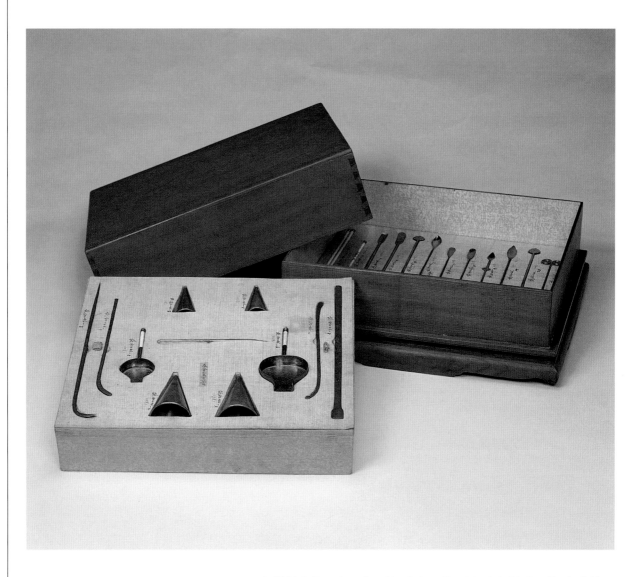

銀質製藥具一套二十二件，盒上下共兩層。有銀漏斗四件、銀藥鏟二把、銀長鏟刀一件、銀勾三件、銀叉子一把、銀藥匙七件、拈子三件，一層中間原缺一件。

關於康熙宮中的西醫器具，法國傳教士白晉在他給法王路易十四的報告中說："在皇帝指定的一個宮殿裏建立了一個實驗室，在那裏排放着各種不同式樣的爐灶、化學製藥用的工具和器皿。這位皇帝竟不惜開支，指令所有的工具和器皿都要用銀製。"

銅蒸餾器
清中期
寬15.5厘米　通高31.8厘米
清宮舊藏

Copper distiller
The Mid-Qing Dynasty
Width: 15.5cm
Overall height: 31.8cm
Qing Court Collection

此銅質蒸餾器，把其玻璃罩拿下，裏面有小網，往下澆水，底下用酒精
爐加熱，產生水蒸氣，水流下，打開水龍頭，即可放出蒸餾水。器底有
款：“PAVARLA 3/10”。

銀蒸餾器

清中期
長9.5厘米　寬5.8厘米
高34厘米
清宮舊藏

Silver distiller
The Mid-Qing Dynasty
Length: 9.5cm　Width: 5.8cm　Height: 34cm
Qing Court Collection

質地為白鐵，手柄可擰下，打開蓋可灌水。用火加熱，從壺嘴可倒出蒸
餾水。

體溫計
19世紀末
長12厘米　寬1厘米
日本
清宮舊藏

Thermometer
Made in Japan
The late 19th century
Length: 12cm　Width: 1cm
Qing Court Collection

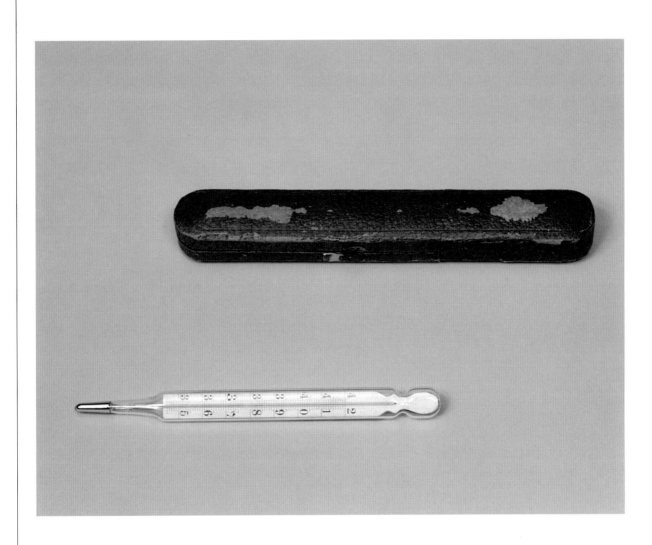

1654年，意大利托斯卡納的費爾迪南大公首次製作了醫用體溫計。1869年，德國的耶律發明了使用水銀的最高體溫計。

清宮遺留的這件體溫計與現代體溫計基本一樣，37°為紅色，是發燒標誌，外有駝色魚子紋紙盒，內為綠色絨布，背面有："柏木特製"款。

血壓計
19世紀末至20世紀初
表盤直徑5.1厘米
清宮舊藏

Sphygmomanometer
The late 19th century-the early 20th century
Dial diameter: 5.1cm
Qing Court Collection

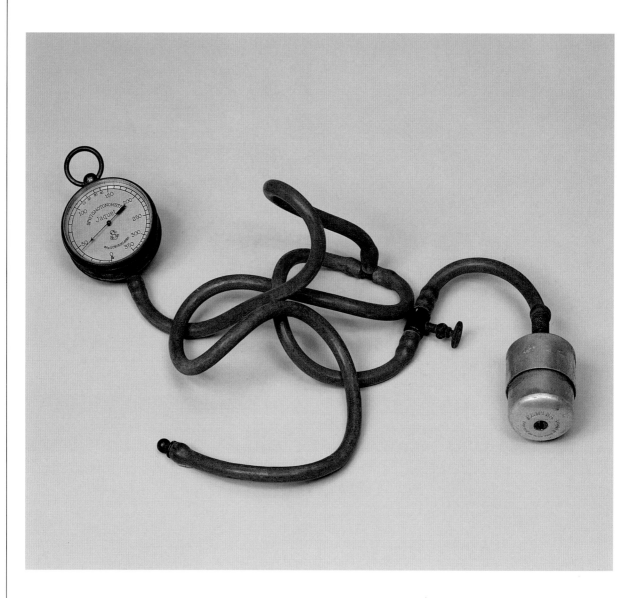

這件血壓表表盤上從0至300為一圈的刻度，並有橡皮管止血帶，壓氣包為錫質。

醫用開口器
長13.8厘米　寬7.3厘米

醫用開鼻器
長9.5厘米　寬4.4厘米

鐵耳鏡
長3.6厘米　上口直徑1.5厘米
下口直徑0.3厘米
19世紀末
清宮舊藏

Medical mouth gag
Length: 13.8cm　Width: 7.3cm
Medical opening nostril utensil
Length: 9.5cm　Width: 4.4cm
Medical iron aural speculum
Length: 3.6cm
Upper mouth diameter: 1.5cm
Lower mouth diameter: 0.3cm
The late 19th century
Qing Court Collection

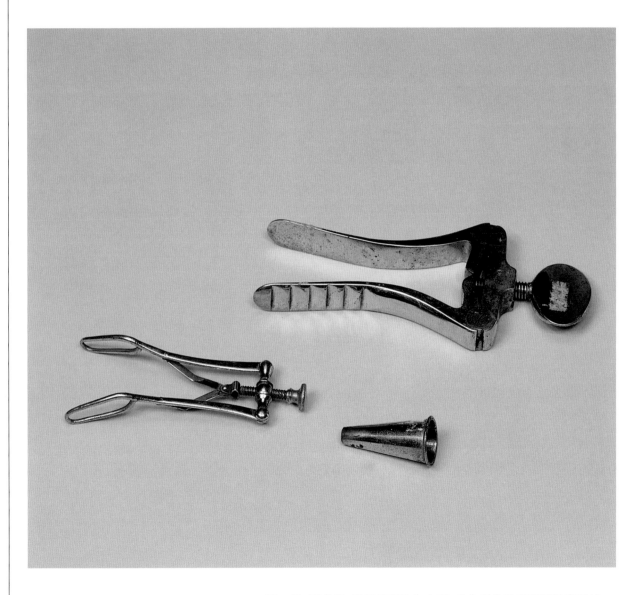

開口器、開鼻器、鐵耳鏡質地為金屬，均為耳鼻喉科西醫診療器械。

醫用反光鏡
19世紀末
直徑9.2厘米
清宮舊藏

Medical reflector
The late 19th century
Diameter: 9.2cm
Qing Court Collection

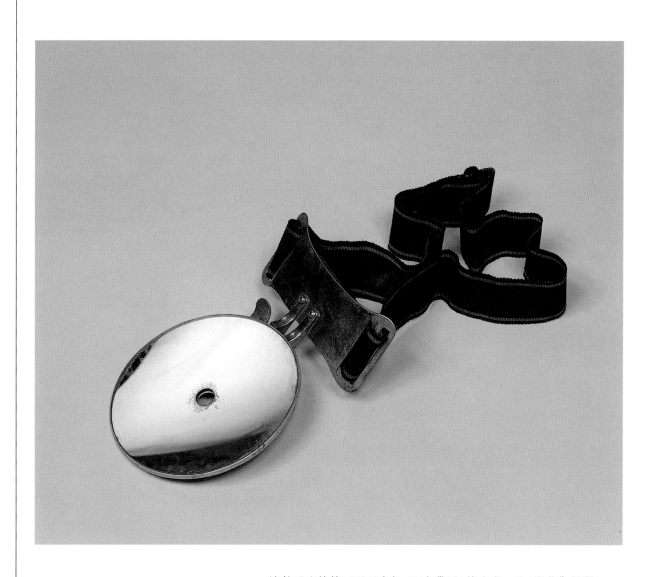

這件反光鏡鏡面平滑完好，配有帶子，鏡中有一孔，後背為鋁質。

眼科手術器械（一套）

20世紀初

盒長24.5厘米　寬18.5厘米　高5.5厘米

日本

清宮舊藏

A set of oculist's operating instruments in a box
Made in Japan
The early 20th century
Length of box: 24.5cm　Width: 18.5cm
Height: 5.5cm
Qing Court Collection

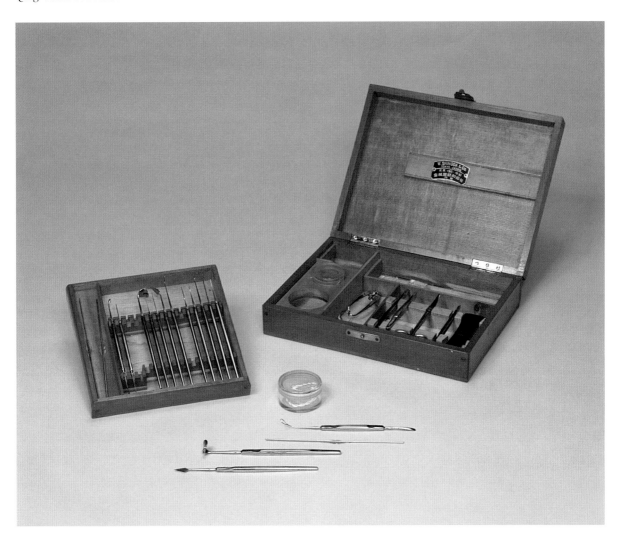

這套器械為不銹鋼質，木盒分上、下兩層，內有器械二十四件：鑷子三把、勾圈一件、撐子一件、剪子一把、化學壓板一塊、刀十把、板勾二件、勾二件、探針三支，並附玻璃圓盒二個、縫合針六枚。盒蓋內有一黑牌，上有"W·SHINODA & CO TOKYO JAPAN 日本·東京篠田和助器械店製作"款。

醫牙用具（一套）
20世紀初
清宮舊藏

A set of dental instruments
The early 20th century
Qing Court Collection

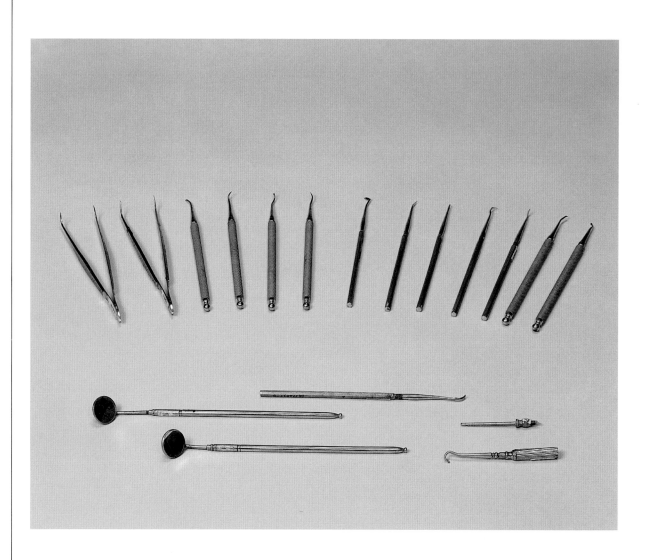

醫牙用具為金屬鍍鉻質，共十八件：有反光鏡二件，各長178厘米，鏡直徑2厘米；鑷子二把，各長15厘米；勾刀八把，各長15.3厘米；刷子一把，長5.5厘米；勾一件，長7.7厘米；刀一把，長14.8厘米；針三枚，各長14.7厘米。有的用具手握處有滾花。

男性人體解剖模型

19世紀末
通高97.5厘米　肩寬29.5厘米　腿長47厘米
中國
清宮舊藏

Model of dissected man body
Made in China
The late 19th century
Overall height: 97.5cm
Width of shoulders: 29.5cm　Length of leg: 47cm
Qing Court Collection

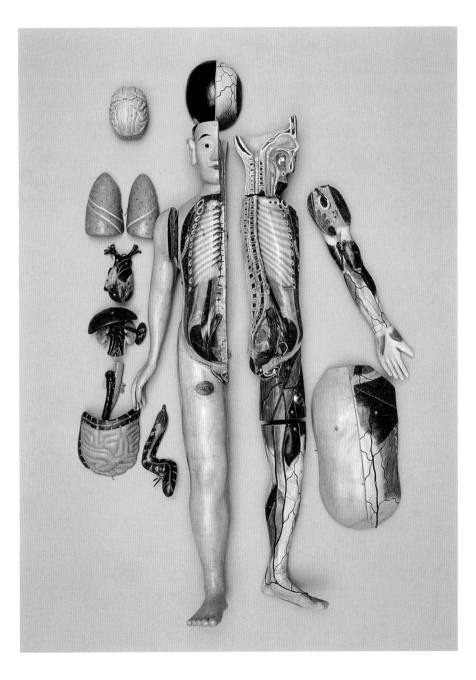

這件人體解剖模型為男性，上身胸腹部蓋可打開，內臟可分七件拿出。
頭部為側剖，腦一件、臉一件。兩臂可拿下，右腿膝上有一銅牌，上有
"上海棋盤行，商務印書館有限公司，教育用品製造所"款。

女性人體解剖模型

19世紀末

通高87厘米　肩寬28厘米　腿長36厘米

中國

清宮舊藏

Model of dissected woman body
Made in China
The late 19th century
Overall height: 87cm
Width of shoulders: 28cm
Length of leg: 36cm
Qing Court Collection

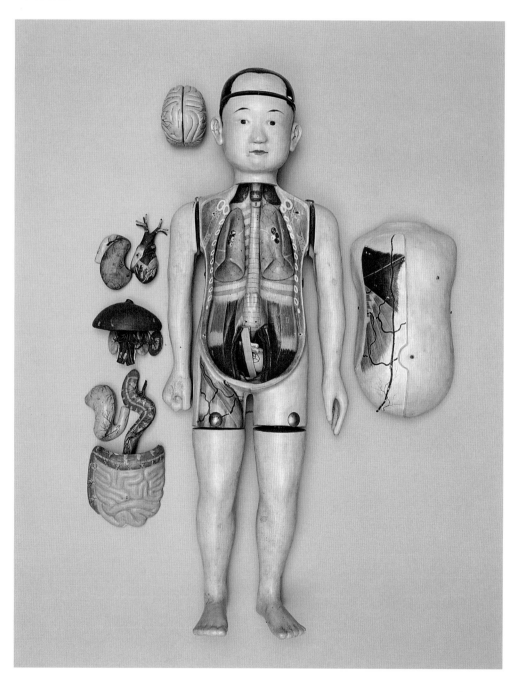

模型質地為紙胎，外飾油漆，為女性，上畫人體血管。人頭蓋打開，可拿出人腦。胸部蓋子打開，內五臟分十件。兩臂及雙腿膝也可拿下。

妊娠模型
19世紀末
最長31厘米　寬28厘米
中國
清宮舊藏

**Models of woman reproductive
organs in gestation**
Made in China
The late 19th century
Length of largest model: 31cm　Width: 28cm
Qing Court Collection

妊娠模型一套六件，前四件子宮兩側帶卵巢。質地均為紙胎，外飾油
漆，上面畫有人體血管。模型從小到大，子宮內有小孩，周身粉紅色。其
中最小胎兒約三個月。

子宮外孕模型

246

19世紀末

長8.1厘米　寬17.5厘米

中國

清宮舊藏

Models of ectopic pregnancy
Made in China
The late 19th century
Length of one model: 8.1cm
Width: 17.5cm
Qing Court Collection

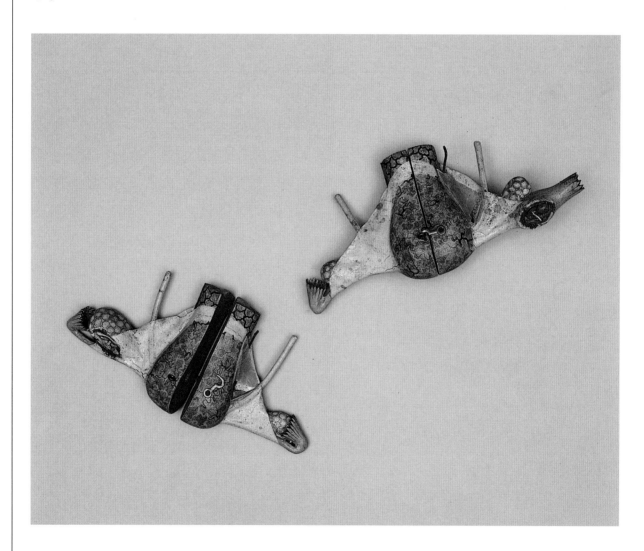

子宮外孕模型與妊娠模型前四個基本一樣，尺寸稍小，子宮內空。第一件長8.1厘米，寬17.5厘米，在其左側卵巢內有一胎兒。第二件長8.2厘米，寬19.5厘米，在其右側卵巢內有一胎兒，反映孕婦懷孕異位的情況。

顯微鏡
19世紀末至20世紀初
寬19.2厘米　通高29.4厘米
美國
清宮舊藏

Microscope
Made in U. S. A.
The late 19th century–
the early 20th century
Width: 19.2cm　Overall height: 29.4cm
Qing Court Collection

這件顯微鏡為金屬製外飾黑漆，上面有
款 "SPENCER LENSCO BUFFALON.Y.
47929 16MMNA·O25 USA"。

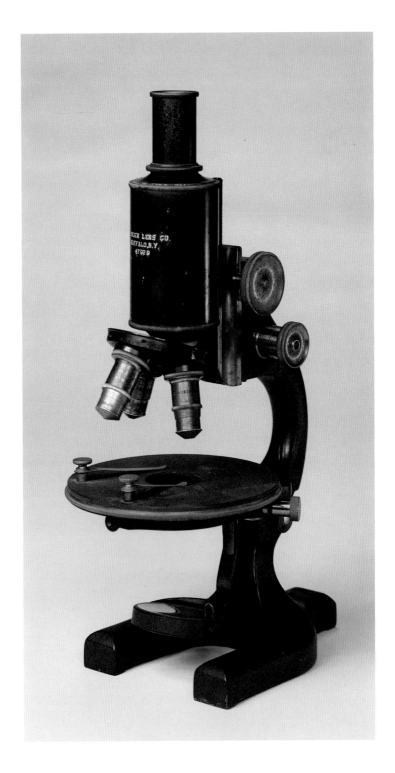

天體：在地球以外，天空中可見之物體，如太陽、月球、行星及其衛星、流星、恒星、星系等，都稱為天體。

天球：用以描述天象和確定天體位置而假想的圓球，通常以觀測者為中心，無限長為半徑。所有天體均投影在球面上，天體在球上的位置，即觀測者視綫所見之點，並非天體在天空中的實際位置。

天體儀：現在通常叫做天球儀；中國古代叫做渾象，又叫做渾天象。

天頂：在觀測者看來，天球上正對頭頂的一點，即從地平圈量起，緯度向上90°的點。

天底：與天頂相對的一點叫天底。

天頂距：由天頂沿地平經圈量至天體的角距離，即90°減去天體的緯度，所得為天體的天頂距。

子午圈：在地球表面上，通過某地點和地球南北極的大圓叫做子午圈。在天文學上通常以這個圈投影於天球上，也就是通過天頂、天底、地平的南北點的天球上的大圈，叫做該地方的子午圈。

卯酉圈：通過天頂且與子午圈正交的垂直圈。卯酉圈、子午圈和地平圈互相垂直。

地平圈：天球上連結和天頂天底等距離的點所形成的大圈，或通過觀測地垂直於該地點的重力方向的平面和天球相交的大圈，叫做地平圈。

赤道：天球或地球上，連結距離兩極90°之點所形成的大圈，叫做赤道。包含地球中心和地球赤道的平面和天球所交成的大圈，就是天球的赤道。

黃道：太陽在天球上一年間所移行的大圈叫做黃道，這是地球軌道面和天球相交成的大圈。

白道：月球繞地球公轉的軌道在天球上的投影。它是天球上的一個大圓。白道和黃道的交角平均為5°9'。

黃道坐標：以黃道面為基準，用黃經黃緯來表示天球上位置的坐標系，叫黃道坐標。黃道以春分點為0°，一周全天為360°，黃緯以黃道為0°，南北各90°，用以研究行星月亮的運動比較便利。

赤道坐標：以赤道面為基準，用赤經赤緯來表示天球上位置的坐標系，叫做赤道坐標。赤經以春分點為0時，計算到24時；赤緯由赤道算起，南北各90°，北為正，南為負。決定恒星及其他天球上的位置，多用這個坐標。

地平坐標：以地平面為基準，用平經平緯來表示天球上位置的坐標系，叫做地平坐標。平經又叫做方位角，從正南向東西計算，一般以東為負，西為正。平緯又叫做高度，從地平算起，南北各90°，或用它的餘角，叫做天頂距。

黃道帶：黃道兩測各8°以內的部分，共寬16°，稱為黃道帶。

星等：表示天體相對亮度的數值。星等最初是由喜帕恰斯提出的，他把全天人眼可見的星，按亮度分為六等，最亮的二十顆定為一等星，而剛剛能看見的定為六等星。

中天的星：也就是通過子午圈的星，叫做中星。

周日視運動：由於地球自轉，地面上的觀測者看到天體於一恒星日內在天球上自東向西沿着與赤道平行的小圓轉過一周。這個圓稱為天體的周日平行圈。這種直觀的運動稱為天體的周日視運動。

地平盤：四周標有刻度，在裝置上與地平面相平行的盤，為地平盤。

緯度弧：標有地理緯度的表，形如弧，故名緯度弧。標有90°的緯度弧，通常叫象限弧，標有60°的緯度弧，又叫紀限弧。

天常赤道圈：即指固定不動的赤道圈。

游旋赤道圈：指能繞周圈轉動的赤道圈。

過極游圈：以南北極為軸，可作東西旋轉的圈為過極游圈。

定標：儀器上用於觀測目標，固定不動的指示器。它常與游標配合使用。

游標：儀器上用於觀測且可游動的指示器。

直表：標有刻度，並在觀測時可提供所需刻度的直立式指示器。

羅盤：標有方位刻度的指南針，即是羅盤。

立耳：固定於儀器上，內有覘視孔的照準器。

窺衡：儀器上內有覘視孔的長方形照準器。

鐘碗：鐘表奏樂、或被報時系統中的小錘敲擊時，它可發出聲響，因其形狀似碗而得名，多為銅質。

問時：鐘表上受人控制的報時系統，按動這一裝置，鐘表即以不同聲響報出時、刻、分。

塔輪：塔輪一詞源於法文fusee，意思是重疊盤起來的槽，外形底大頂小，看似一座寶塔，因此，中國人直呼其為塔輪。塔輪與發條、鏈條組成鐘表的動源。

問樂：每個鐘表的開關及上弦孔不統一，有時想臨時聽音樂，可以按下開關（或用拉繩或用鑰匙開動），稱問樂。但必須是在有表有弦時，如沒弦，可用鑰匙單獨上弦。

棘滾：在鐘表的樂箱中，有以發條為動力的銅質滾子，上有按樂曲的音樂規律而排列的小釘，稱棘滾。在開動機器後，棘滾隨之轉動，小釘碰撞彈簧鋼片發出悅耳的聲音。

擒縱器：擒縱器是鐘表走時的關鍵，擒縱即一擒一縱一收一放之意，把齒輪一個齒跟着一個齒有節奏地放過去，保持一定速度，使鐘表走時準確。

清帝在位年表

時期	皇帝		在位年份	世紀
清前期		順治	1644-1661年	17世紀
		康熙	1662-1722年	
		雍正	1723-1735年	18世紀
清中期		乾隆	1736-1795年	
		嘉慶	1796-1820年	
		道光	1821-1850年	19世紀
清晚期		咸豐	1851-1861年	
		同治	1862-1874年	
		光緒	1875-1908年	
		宣統	1909-1911年	20世紀

圖號	圖片名稱	產地 / 年份 (世紀)			傳入中國年代及人物	清宮製造年代
		英國	法國	其他		
1	鐵鋄金天體儀					順治十四年 (1657)
2	銅鍍金天體儀					清晚期
3	紙製天體儀					光緒
4	銀鍍金南懷仁款渾天儀					康熙八年 (1669)
5	銅鍍金月象演示儀		巴黎 (1721)		1721－1744年	
6	銅鍍金渾天合七政儀	18世紀				
7	銅鍍金七政儀	18世紀				
8	銅鍍金乾隆甲子年款三辰公晷儀					乾隆九年 (1744)
9	銅鍍金乾隆戊戌年款三辰公晷儀					乾隆十三年 (1748)
10	銅鍍金乾隆庚子年款三辰公晷儀					乾隆四十五年 (1780)
11	銅鍍金乾隆丙寅年款三辰儀					乾隆十一年 (1746)
12	銅鍍金萬壽天常儀					乾隆十五年 (1750)
13	湯若望款新法地平式日晷儀			德國	德國傳教士湯若望於順治元年 (1644) 七月九日呈多爾袞和順治帝	

14	銅鍍金八角形地平公晷儀		18世紀		
15	御製銅鍍金半圓地平日晷儀					康熙四十年 (1701)
16	銅鍍金方形地平公晷儀		18世紀		
17	銅鍍金定南針指時刻日晷儀	18世紀			
18	嵌琺瑯地平式日晷儀				清中期
19	嵌琺瑯孔雀尾形地平式日晷儀				乾隆
20	嵌琺瑯帶鉛垂綫地平式日晷儀				清中期
21	紙製圓形地平式日晷儀			日本 (19世紀)	
22	銅鍍金巴黎款提環赤道公晷儀		巴黎 (18世紀)		
23	銅鍍金刻世界名城提環赤道公晷儀		18世紀		
24	銅鍍金巴黎款提環公晷儀		巴黎 (18世紀)		
25	銅鍍金計分式提環赤道公晷儀	18世紀			
26	銅圓形時刻盤赤道公晷儀		巴黎 (18世紀)		
27	銅鍍金測分時赤道公晷儀	18世紀			
28	銅鍍金八角立表赤道式公晷儀	18世紀			
29	銅鍍金八角形赤道公晷儀		18世紀		
30	銅鍍金八角立表赤道公晷儀		18世紀		
31	銅鍍金腰果形赤道公晷儀				乾隆
32	銅鍍金提環赤道式日晷儀		18世紀		
33	銅鍍金赤道式日晷儀		18世紀		
34	銅鍍金方赤道式日晷儀	18世紀			
35	銅鍍金經緯赤道公晷儀	18世紀			
36	地平經緯赤道公晷儀	倫敦 (18世紀)			
37	銅圓盤日月星晷儀			德國科隆 (16世紀)	
38	御製銅鍍金星晷儀				康熙五十三年 (1714)
39	銅鍍金方月晷儀				乾隆九年 (1744)
40	銅鍍金日月晷儀				乾隆十年 (1745)
41	銅鍍金圓形月晷儀				乾隆四十三年 (1778)
42	銅鍍金月晷儀				乾隆四十五年 (1780)
43	銅鍍金赤道圭表合璧儀	倫敦 (18世紀)			
44	銅鍍金測時圭表合璧儀	倫敦 (18世紀)			
45	磁青紙製簡平儀				康熙

46	御製銅鍍金簡平儀				康熙二十年(1681)
47	御製銀鍍金簡平地平合璧儀				康熙三十年(1691)
48	看朔望入交儀				乾隆九年(1744)
49	銅鍍金星象插屏				道光
50	銅鍍金星象插屏				道光
51	竹比例尺				康熙
52	玉比例尺				康熙
53	象牙分厘尺				康熙
54	銅鍍金分厘尺				康熙
55	銅鍍金雕鏤空紋分厘尺				康熙
56	銅鍍金綜合算尺				康熙
57	銅鍍金摺叠矩尺		巴黎(17世紀)		
58	銅鍍金摺叠矩尺				康熙
59	銅鍍金平行尺				康熙
60	銀質康熙角尺				康熙
61	銀鍍金康熙角尺				康熙
62	銅鍍金半圓儀		巴黎(17世紀)		
63	游標卡尺				康熙
64	伽俐略比例規			意大利 (17世紀)	
65	銅鍍金刻平分綫比例規				康熙
66	銅鍍金刻五金綫比例規				康熙
67	銅鍍金刻分體綫比例規				康熙
68	銅鍍金帶半圓儀比例規				康熙
69	銅鍍金比例規		巴黎(17世紀)		
70	銅鍍金尖腳比例規			歐洲(17世紀)	
71	銅鍍金刻幾何體比例規				康熙
72	銅鍍金刻比重表比例規	18世紀			
73	黑漆木匣測算套尺				康熙
74	象牙假數尺				康熙
75	象牙刻正弦切綫假數尺				康熙
76	銅鍍金摺叠假數尺				康熙
77	包銀帶滑標假數尺				清中期
78	虬角質納白爾算籌			算籌因英國數學家納白爾著書，明崇禎三年(1628)意大利傳教士羅雅谷著《籌算》一書介紹	康熙
79	象牙質納白爾算籌				康熙

80	象牙質豎式斜格算籌					康熙
81	象牙質半圓格式算籌					康熙/由中國大數學家梅文鼎於1678年把納白爾算籌改成半圓格式直格式
82	銅鍍金盤式手搖計算機					康熙
83	銅鍍金十位盤式手搖計算機					康熙
84	銅鍍金十二位盤式手搖計算機					康熙
85	紙籌式手搖計算機					康熙
86	銅鍍金納白爾籌式手搖計算機					康熙
87	銅鍍金籌式手搖計算機					康熙
88	銅鍍金帶游標籌式手搖計算機					康熙
89	幾何多面體模型					康熙
90	楠木雕花框鑲銀刻比例表炕桌					康熙
91	康熙用數學用表					康熙
92	順治朝地球儀					順治
93	康熙朝地球儀					康熙
94	光緒朝地球儀					光緒
95	乾隆內府輿圖銅版					乾隆
96	木象限儀					康熙
97	御製矩度象限儀					康熙
98	御製方矩象限儀					康熙
99	康熙御製款銅鍍金象限儀					康熙
100	銅鍍金象限儀			歐洲(18世紀)		
101	銅製測高弧象限儀					康熙
102	銅鍍金雙千里鏡象限儀	倫敦(18世紀)				
103	銅千里鏡象限儀					乾隆
104	測炮象限儀					乾隆
105	木質單游標半圓儀					康熙
106	四游標半圓儀					康熙五十三年(1714)
107	銀質單游標半圓儀					康熙
108	銅單游標半圓儀					康熙

109	銅鍍金單游標半圓儀			歐洲 (18世紀)	
110	銅鍍金巴黎款單游標半圓儀		巴黎 (18世紀)		
111	銅鍍金單游標女神像半圓儀		巴黎 (18世紀)		
112	銅鍍金單游標半圓儀			歐洲 (18世紀)	
113	四游千里鏡半圓儀			歐洲 (18世紀)	
114	銅鍍金全圓儀	18世紀			
115	銅鍍金四定標全圓儀				18世紀
116	銅鍍金矩度全圓儀			歐洲 (18世紀)	
117	銅鍍金雙千里鏡全圓儀		巴黎 (18世紀)		
118	銅鍍金單千里鏡全圓儀			歐洲 (18世紀)	
119	銅鍍金小花全圓儀				乾隆
120	繪圖平板儀		巴黎 (18世紀)		
121	三角形測量儀				康熙
122	銅鍍金定南針水平盤	倫敦 (18世紀)			
123	銅鍍金象限羅盤儀			歐洲 (18世紀)	
124	銅圓盒指南針			歐洲 (18世紀)	
125	象牙橢圓盤指南針				乾隆
126	銀燒藍琺瑯蟬形指南針				乾隆
127	銀燒藍琺瑯魚形指南針				乾隆
128	琺瑯桃心形指南針				乾隆
129	銅鍍金盤指南針				清晚期
130	黑漆盒繪圖儀器				康熙
131	黃雲緞匣繪圖儀器				康熙
132	木盒套十五件繪圖儀器				康熙
133	木盒套十一件繪圖儀器				康熙
134	牛皮套繪圖儀器				康熙
135	銀盒套繪圖儀器				康熙
136	黑漆木胎盒繪圖儀器			歐洲 (18世紀)	
137	木盒套繪圖儀器			歐洲 (18世紀)	
138	巴黎款繪圖儀器		巴黎 (18世紀)		
139	鯊魚皮套銀質繪圖儀器			歐洲 (18世紀)	
140	綠漆木質描金花望遠鏡				清初期
141	棕漆木質描金花望遠鏡				清初期
142	紅木二節望遠鏡				清中期
143	紙質象牙口望遠鏡				清中期
144	黑漆描金花七節望遠鏡				清中期
145	棕漆描金花五節望遠鏡				清中期
146	紅棕漆銅鍍金六節望遠鏡	倫敦 (18世紀)			
147	棕漆皮銅鍍金六節望遠鏡	倫敦 (18世紀)			

148	紫漆鍍鉻望遠鏡	倫敦 (18世紀)			
149	綠漆皮四節望遠鏡	倫敦 (18世紀)			
150	橙漆銅鍍金四節望遠鏡	倫敦 (18世紀)			
151	銅鍍金條紋望遠鏡	倫敦 (18世紀)			
152	銅鍍金嵌琺瑯望遠鏡		歐洲 (18世紀)		
153	銀質條紋望遠鏡	倫敦 (18世紀)			
154	銀嵌琺瑯二節望遠鏡		歐洲 (18世紀)		
155	銅鍍金嵌玻璃珠望遠鏡				清中期
156	銀質三節望遠鏡		歐洲 (18世紀)		
157	木製六棱形天文望遠鏡		歐洲 (18世紀)		
158	銅鍍金反射望遠鏡	倫敦 (18世紀)			
159	棕漆銅鍍金反射望遠鏡		歐洲 (18世紀)		
160	紫漆描金花反射望遠鏡				清中期
161	銅鍍金天文望遠鏡	倫敦 (19世紀)			
162	銅鍍金香港款天文望遠鏡		香港 (19世紀)		
163	銅聚光鏡		歐洲 (18世紀)		
164	傅科擺模型		歐洲 (19世紀)		
165	銅鍍金人指時刻分鐘	18世紀			
166	銅鍍金象馱轉蛇轉花樂表	18世紀			
167	銅鍍金月球頂人打樂鐘	18世紀			
168	銅鍍金四象馱樂箱跑人犀牛表	18世紀			
169	銅鍍金少年牽羊鐘	倫敦 (18世紀)			
170	銅鍍金象拉戰車表	18世紀			
171	銅鍍金少年園丁鐘	18世紀			
172	銅鍍金三人打樂鐘	18世紀			
173	銅鍍金印度樂師擊樂鐘	倫敦 (18世紀)			
174	銅鍍金山子座站人小座鐘	倫敦 (18世紀)			
175	銅鍍金亭式番人進寶鐘	18世紀			
176	銅鍍金轉人鐘	18世紀			
177	銅鍍金轉人亭式大鐘	倫敦 (18世紀)			
178	銅鍍金規矩箱表	倫敦 (18世紀)			
179	玳瑁樓嵌料石銀花樂鐘	18世紀			
180	木樓嵌銅紋木哨樂鐘	18世紀			
181	瓷雕飛仙人座鐘	18世紀			
182	銅鍍金馬馱水法鐘	18世紀			
183	銅鍍金山子鸚鵡鐘	18世紀			
184	銅鍍金四象馱跑人日曆表	18世紀			
185	銅鍍金孔雀開屏鐘	倫敦 (18世紀)			

186	銅鍍金嵌瑪瑙水法規矩箱表	18世紀				
187	銅鍍金轉花轉人水法鐘	18世紀				
188	銅鍍金嵌料石升降塔鐘	18世紀				
189	銅鍍金轉花翻傘鐘	18世紀				
190	銅鍍金水法機動座鐘	18世紀				
191	銅鍍金四象馱八方轉花樂鐘	倫敦 (18世紀)				
192	銅鍍金嵌琺瑯人物亭式水法鐘	1775年				
193	銅鍍金塔式吐球水法鐘	1775年				
194	銅鍍金自開門蝙蝠鐘	18世紀				
195	銅鍍金滾鐘		19世紀			
196	銅鍍金滾球壓力鐘		19世紀			
197	銅鍍金輪船模型表		19世紀末			
198	銅鍍金活塞風輪機器模型表		19世紀末			
199	銅鍍金汽車式風雨寒暑表		19世紀末			
200	銅火車頭風雨表		19世紀末			
201	銅鍍金燈塔式座表		19世紀末			
202	鐵質轉機風雨寒暑表		20世紀初			
203	銅鍍金琺瑯瓶式三面表		20世紀初			
204	氣球式鐘		19世紀末			
205	紫檀嵌琺瑯重檐樓閣更鐘					乾隆
206	木樓嵌琺瑯轉八仙鐘					乾隆
207	皇極殿大自鳴鐘					乾隆
208	銅鍍金嵌料石荷花缸表					乾隆
209	黑漆描金亭式鐘					乾隆
210	銅鍍金嵌料石迎手鐘					乾隆
211	黑漆描金樓式鐘					清中期
212	硬木轉八仙塔式樂鐘					清中期
213	金漆木樓嵌琺瑯盤二針鐘					乾隆
214	銅鍍金冠架鐘					乾隆
215	銅鍍金轉八寶亭式表					乾隆
216	童托漆畫玻璃門座櫃表					乾隆
217	銅鍍金琺瑯水法仙人鐘			廣州		乾隆
218	銅鍍金琺瑯樓倒球捲簾鐘			廣州		清中期
219	銅鍍金嵌琺瑯內置升降塔鐘			廣州		乾隆
220	銅鍍金嵌琺瑯葫蘆頂漁樵耕讀鐘			廣州		清中期
221	銅鍍金水法白猿獻壽樂鐘			廣州		乾隆四十五年(1780)
222	銅鍍金嵌琺瑯羣仙祝壽鐘			廣州		乾隆

223	銅鍍金三猿獻寶鐘			廣州		清中期
224	紫檀嵌螺甸羣仙祝壽鐘			廣州		清晚期
225	紫澶木北極恆星圖節氣時辰鐘			蘇州		清晚期
226	銅鍍金自開門變戲法水法鐘			蘇州		光緒
227	琺瑯珠花表			瑞士(19世紀)		
228	鍍金嵌珠仕女畫懷表			瑞士(19世紀末)		
229	銅鍍金殼動畫懷表(一對)	19世紀				
230	銅鍍金扇形表			瑞士(19世紀末)		
231	畫琺瑯雙鵝畫懷表			瑞士(19世紀)		
232	銅鍍金琺瑯鑽石懷表	倫敦(19世紀)				
233	琺瑯鑲鑽石石榴別針表			瑞士(19世紀末)		
234	銀質製藥器具(一盒)					康熙
235	銅蒸餾器					清中期
236	銀蒸餾器					清中期
237	體溫計			日本(19世紀末)		
238	血壓計					19世紀末至20世紀初
239	醫用開口器、醫用開鼻器、鐵耳鏡					19世紀末
240	醫用反光鏡					19世紀末
241	眼科手術器械(一套)			日本(20世紀初)		
242	醫牙用具(一套)					20世紀初
243	男性人體解剖模型					19世紀末
244	女性人體解剖模型					19世紀末
245	妊娠模型					19世紀末
246	子宮外孕模型					19世紀末
247	顯微鏡			美國(19世紀末至20世紀初)		